LE TOUR DU MONDE EN TRAIN

Rencontre au milieu du Sahara. Entre les villes mauritaniennes de Nouadhibou et Zouérate, une locomotive Diesel française de construction Alsthom tracte une voiture... belge.

TABLE DE MATIÈRES

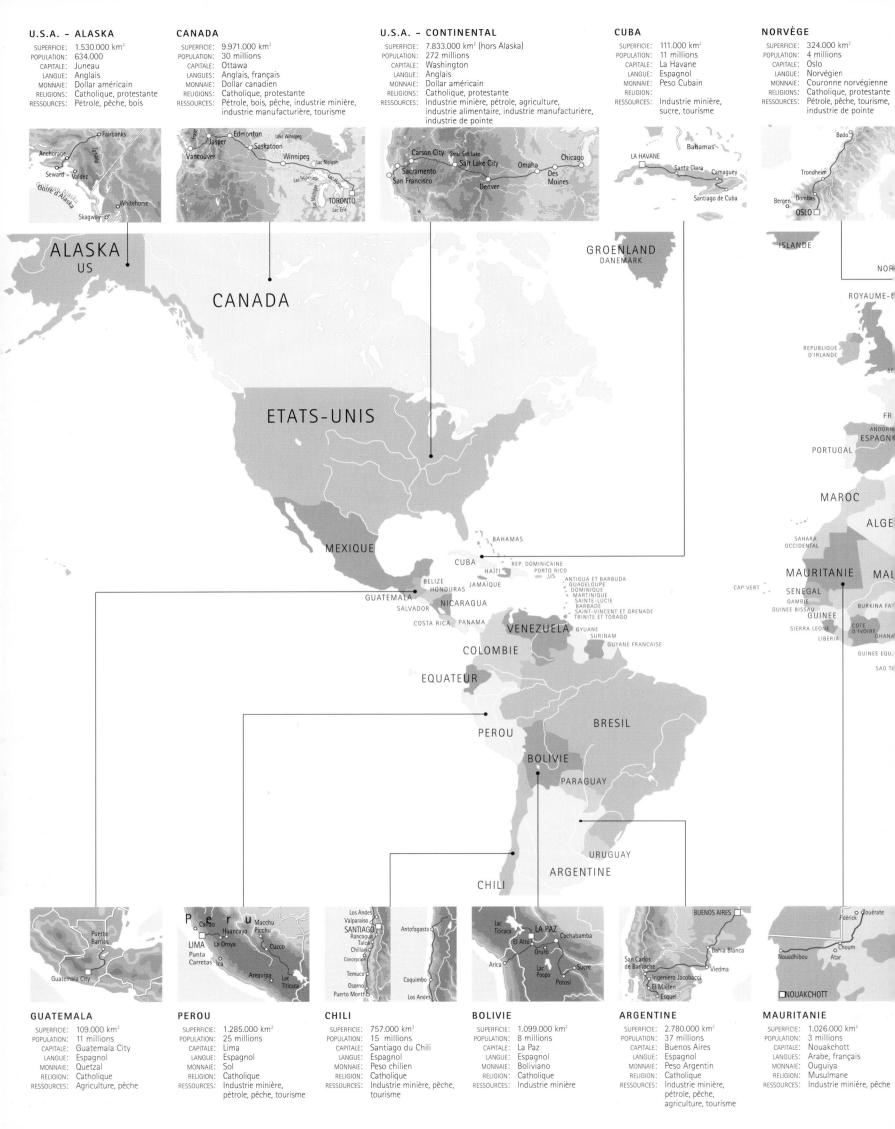

U.S.A. - ALASKA

SUPERFICIE: 1.530.000 km²
POPULATION: 634.000
CAPITALE: Juneau
LANGUE: Anglais
MONNAIE: Dollar américain
RELIGIONS: Catholique, protestante
RESSOURCES: Pétrole, pêche, bois

CANADA

SUPERFICIE: 9.971.000 km²
POPULATION: 30 millions
CAPITALE: Ottawa
LANGUES: Anglais, français
MONNAIE: Dollar canadien
RELIGIONS: Catholique, protestante
RESSOURCES: Pétrole, bois, pêche, industrie minière, industrie manufacturière, tourisme

U.S.A. - CONTINENTAL

SUPERFICIE: 7.833.000 km² (hors Alaska)
POPULATION: 272 millions
CAPITALE: Washington
LANGUE: Anglais
MONNAIE: Dollar américain
RELIGIONS: Catholique, protestante
RESSOURCES: Industrie minière, pétrole, agriculture, industrie alimentaire, industrie manufacturière, industrie de pointe

CUBA

SUPERFICIE: 111.000 km²
POPULATION: 11 millions
CAPITALE: La Havane
LANGUE: Espagnol
MONNAIE: Peso Cubain
RELIGION: Industrie minière, sucre, tourisme
RESSOURCES: Industrie minière, sucre, tourisme

NORVÈGE

SUPERFICIE: 324.000 km²
POPULATION: 4 millions
CAPITALE: Oslo
LANGUE: Norvégien
MONNAIE: Couronne norvégienne
RELIGIONS: Catholique, protestante
RESSOURCES: Pétrole, pêche, tourisme, industrie de pointe

GUATEMALA

SUPERFICIE: 109.000 km²
POPULATION: 11 millions
CAPITALE: Guatemala City
LANGUE: Espagnol
MONNAIE: Quetzal
RELIGION: Catholique
RESSOURCES: Agriculture, pêche

PEROU

SUPERFICIE: 1.285.000 km²
POPULATION: 25 millions
CAPITALE: Lima
LANGUE: Espagnol
MONNAIE: Sol
RELIGION: Catholique
RESSOURCES: Industrie minière, pétrole, pêche, tourisme

CHILI

SUPERFICIE: 757.000 km²
POPULATION: 15 millions
CAPITALE: Santiago du Chili
LANGUE: Espagnol
MONNAIE: Peso chilien
RELIGION: Catholique
RESSOURCES: Industrie minière, pêche, tourisme

BOLIVIE

SUPERFICIE: 1.099.000 km²
POPULATION: 8 millions
CAPITALE: La Paz
LANGUE: Espagnol
MONNAIE: Boliviano
RELIGION: Catholique
RESSOURCES: Industrie minière

ARGENTINE

SUPERFICIE: 2.780.000 km²
POPULATION: 37 millions
CAPITALE: Buenos Aires
LANGUE: Espagnol
MONNAIE: Peso Argentin
RELIGION: Catholique
RESSOURCES: Industrie minière, pétrole, pêche, agriculture, tourisme

MAURITANIE

SUPERFICIE: 1.026.000 km²
POPULATION: 3 millions
CAPITALE: Nouakchott
LANGUES: Arabe, français
MONNAIE: Ouguiya
RELIGION: Musulmane
RESSOURCES: Industrie minière, pêche

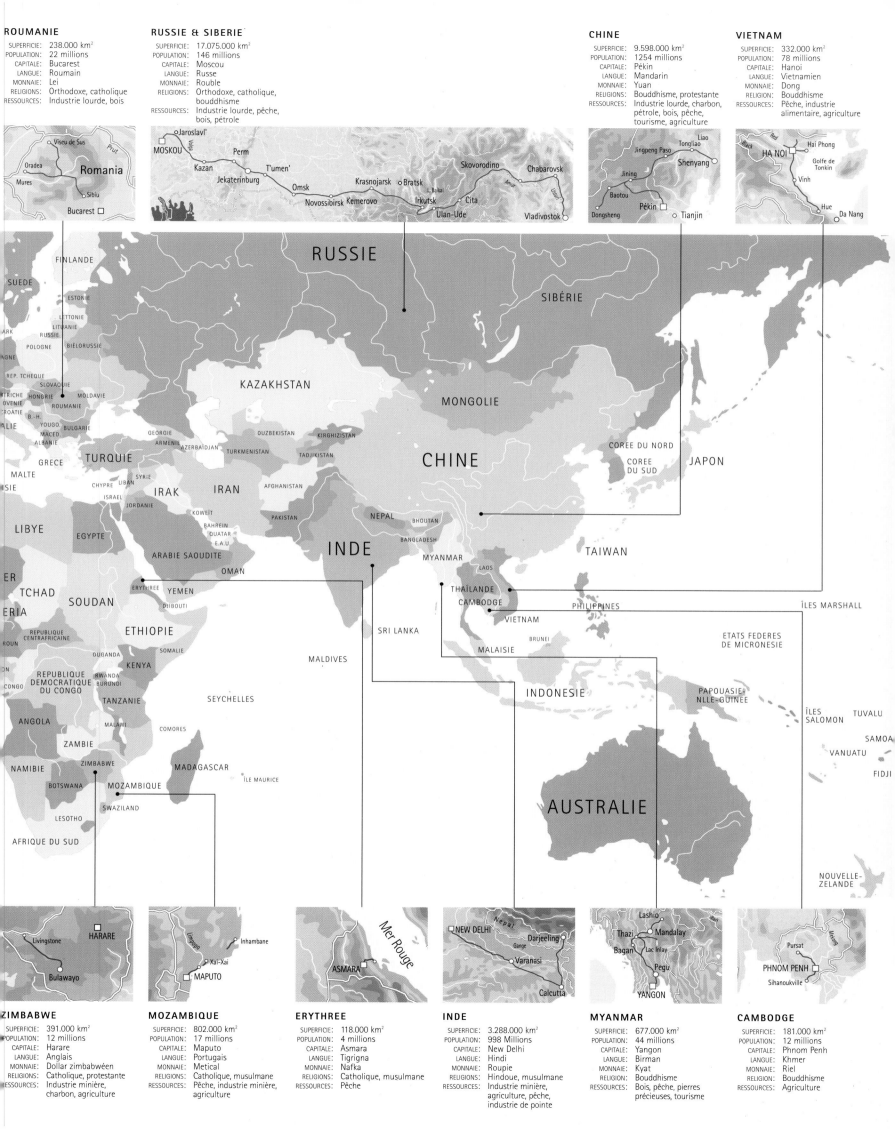

ROUMANIE
SUPERFICIE: 238.000 km²
POPULATION: 22 millions
CAPITALE: Bucarest
LANGUE: Roumain
MONNAIE: Lei
RELIGIONS: Orthodoxe, catholique
RESSOURCES: Industrie lourde, bois

RUSSIE & SIBERIE
SUPERFICIE: 17.075.000 km²
POPULATION: 146 millions
CAPITALE: Moscou
LANGUE: Russe
MONNAIE: Rouble
RELIGIONS: Orthodoxe, catholique, bouddhisme
RESSOURCES: Industrie lourde, pêche, bois, pétrole

CHINE
SUPERFICIE: 9.598.000 km²
POPULATION: 1254 millions
CAPITALE: Pékin
LANGUE: Mandarin
MONNAIE: Yuan
RELIGIONS: Bouddhisme, protestante
RESSOURCES: Industrie lourde, charbon, pétrole, bois, pêche, tourisme, agriculture

VIETNAM
SUPERFICIE: 332.000 km²
POPULATION: 78 millions
CAPITALE: Hanoi
LANGUE: Vietnamien
MONNAIE: Dong
RELIGION: Bouddhisme
RESSOURCES: Pêche, industrie alimentaire, agriculture

ZIMBABWE
SUPERFICIE: 391.000 km²
POPULATION: 12 millions
CAPITALE: Harare
LANGUE: Anglais
MONNAIE: Dollar zimbabwéen
RELIGIONS: Catholique, protestante
RESSOURCES: Industrie minière, charbon, agriculture

MOZAMBIQUE
SUPERFICIE: 802.000 km²
POPULATION: 17 millions
CAPITALE: Maputo
LANGUE: Portugais
MONNAIE: Metical
RELIGIONS: Catholique, musulmane
RESSOURCES: Pêche, industrie minière, agriculture

ERYTHREE
SUPERFICIE: 118.000 km²
POPULATION: 4 millions
CAPITALE: Asmara
LANGUE: Tigrigna
MONNAIE: Nafka
RELIGIONS: Catholique, musulmane
RESSOURCES: Pêche

INDE
SUPERFICIE: 3.288.000 km²
POPULATION: 998 Millions
CAPITALE: New Delhi
LANGUE: Hindi
MONNAIE: Roupie
RELIGIONS: Hindoue, musulmane
RESSOURCES: Industrie minière, agriculture, pêche, industrie de pointe

MYANMAR
SUPERFICIE: 677.000 km²
POPULATION: 44 millions
CAPITALE: Yangon
LANGUE: Birman
MONNAIE: Kyat
RELIGION: Bouddhisme
RESSOURCES: Bois, pêche, pierres précieuses, tourisme

CAMBODGE
SUPERFICIE: 181.000 km²
POPULATION: 12 millions
CAPITALE: Phnom Penh
LANGUE: Khmer
MONNAIE: Riel
RELIGION: Bouddhisme
RESSOURCES: Agriculture

L'Amérique lat' & les Caraïbes

ne

Depuis le Guatemala jusqu'à la Terre de Feu, que de rencontres à faire, que de merveilles à découvrir ! Tous les types de civilisations, de populations et de régimes politiques se côtoient. Les Mayas et les Incas y ont laissé des traces immortelles. Un site comme Machu Picchu au Pérou nous révèle les capacités étonnantes de nos ancêtres en ingénierie et en architecture.

Il est bien sûr impossible de détailler chaque région. Celles choisies l'ont été pour leur beauté intrinsèque et, bien entendu, pour les magnifiques périples en train qu'elles proposent.

En Amérique du Sud, deux réseaux existent. Celui de l'Atlantique sud dessert entre autres le Brésil et l'Argentine, grâce à des lignes principalement développées autour des capitales. L'autre réseau comprend les célèbres trains des Andes du Pérou et de Bolivie. Beaucoup plus typique, il offre des paysages à couper le souffle.

Dans les Caraïbes, le train permet de relier les deux extrémités de Cuba, alors qu'en Jamaïque, seule une ligne touristique existe.

Scène de vie quotidienne dans les Andes. Cet enfant péruvien joue avec une petite voiture, sans doute son unique jouet, dans un hameau de La Oroya.

Le Chili

DE LONG ET DE LARGE

Le Chili est un pays d'éternelle résurrection,
où la vie a toujours été plus forte que la
mort. Depuis des siècles, cette nation souffre
mais ne s'avoue jamais vaincue. Ce peuple
n'a jamais perdu espoir et continuera à se
battre pour la démocratie et le développement.

D'une étrange forme filiforme, « coincé »
entre la cordillère des Andes et l'océan
Pacifique, le Chili s'étend du nord au sud sur
plus de la moitié de la longueur de
l'Amérique du Sud, soit plus de 4200 kilomètres, sur une largeur moyenne de 180 km.
Sa topographie est incroyablement diversi-
fiée, comme en témoignent l'aride désert
d'Atacama, les glaciers de type alpin ou
encore les fjords de Patagonie.

Dans la région semi-désertique du centre du Chili, un des rares trains circulant encore sur le réseau du Ferronor se dirige vers Coquimbo. Le train, remorqué par une locomotive Diesel DT-130 XX, ne dépasse pas la vitesse moyenne de 15 km/h.

Le Chili a toujours été réputé pour ses lacs majestueux, tous situés au sud du pays, parmi lesquels l'incontournable lac Villarica. Une excursion au gré des lacs andins constitue une expérience inoubliable. Avec des zones situées à 50 mètres au-dessus du niveau de la mer et d'autres à 3491 mètres d'altitude, cette région se distingue par un héritage allemand en raison d'une forte immigration au milieu du XIXe siècle. Sa cuisine en a gardé les saveurs.

Les lignes de chemin de fer ont été construites d'une façon assez simple, comportant une ligne principale nord-sud entrecoupée de quelques lignes secondaires vers l'océan et vers les Andes. Selon les régions, le train se faufile dans les vallées escarpées des Andes, longe des rivières de plaine, traverse des déserts au paysage monotone et sans vie, ou meurt au bout d'une ligne désaffectée...

L'arrivée à Santiago du Chili par avion est spectaculaire. Quelques minutes à peine avant l'atterrissage, la traversée des Andes offre le spectacle magnifique de sommets et de volcans enneigés dont certains s'élèvent à plus de 6000 mètres. La capitale est une vraie mégalopole où il fait étouffant l'été, mais où le printemps offre des journées ensoleillées d'une douceur particulièrement agréable, avec peu de brume et de pollution. La visite de Santiago commence logiquement par le Palais de la Moneda, tristement célèbre dans le monde entier pour avoir été bombardé et pris d'assaut par les militaires le 11 septembre 1973. La dictature se met alors en place : c'est le début de l'ère Pinochet. Le retour de la démocratie en 1990 n'empêche pas certaines résistances. Je continue ma visite par la Place d'Armes, dessinée par le conquistador Pedro de Valdivia, qui fonda la ville en 1541. Cette place résume en partie l'architecture de la ville qui mêle maisons coloniales, églises et immeubles ultramodernes. Il est temps de se rendre au très beau musée du chemin de fer en plein air, assidûment

La tête de cette locomotive 703 a été amputée pour devenir une vraie "statue" et décorer la gare de Santiago Alameda, principale gare du Chili.

fréquenté le dimanche par les familles qui aiment se remé-
morer la grande époque des belles locomotives à vapeur.
Toujours à Santiago, rendons-nous encore au pied de la
montagne pour emprunter le très intéressant funiculaire. La
vue sur toute la ville est imprenable. Avant que je prenne le
train pour Puerto Montt, ville située au sud du Chili dans le
pays des lacs, la visite de la gare Alameda s'impose. Ce très
beau bâtiment dessiné en 1897 par le Chilien Camus a été
préfabriqué par la société française Le Creusot. Je suis sur-
pris : la voiture-lit qui m'accueille a été construite en 1929
en Allemagne. Son intérieur garni de bois plaqué et de cuivre fait resurgir les réminiscences de l'époque des grands
trains express européens de l'entre-deux-guerres.

Un long voyage commence. Après la banlieue poussiéreuse
de Santiago, le train traverse les vignes de la vallée du
Maipo, région viticole parmi les plus réputées d'Amérique
du Sud. Le soir tombe; la voiture-bar-restaurant me permet
de déguster un délicieux « pisco sour », l'apéritif national du
pays. Au petit matin, de nombreux vergers sont en vue et
les montagnes andines se précisent. Nous approchons de
Temuco et admirons un des plus beaux ouvrages d'art de
cette ligne : le viaduc de Malleco près de Collipulli. Il mesure
plus de 408 mètres de long et la voie passe à plus de 100
mètres au-dessus de la rivière.

A partir de Temuco, nous changeons de locomotive. Depuis
Santiago, nous étions en traction électrique, mais au sud de
Temuco, la ligne n'est pas électrifiée. La très belle rotonde
du dépôt de Temuco rappelle encore la grande épopée des
chemins de fer. Ce dépôt-musée comprend une bonne
dizaine de locomotives à vapeur parfaitement entretenues.
D'ailleurs, l'une d'entre elles tire encore de temps à autre un
train spécial.

Le périple se poursuit à travers la région des lacs, toujours habitée par de nombreux immigrants allemands. Plusieurs villes de la région évoquent d'ailleurs la Bavière de façon frappante. Les herbes folles envahissent la voie qui mène à la ville terminus de Puerto Montt au point qu'il est parfois difficile d'en distinguer les rails... mais cela n'empêche nullement d'admirer le très beau volcan d'Osorno. Durant de longues années, Puerto Montt posséda la gare la plus australe du monde, mais depuis la restauration du petit réseau ferré de Ushuaia en ligne touristique à l'extrémité sud de l'Argentine, Puerto Montt ne peut plus revendiquer ce privilège.

Après la ville de Puerto Montt, le train repart vers Santiago et la région centre-nord du pays. Une énorme locomotive du type « Little Joe » n° 2903 est en tête du convoi. La première étape du périple est Llay Llay, à environ 75 kilomètres au nord de la capitale. Cet endroit n'est guère plus qu'une jonction ferroviaire, mais la visite du petit dépôt de Llay Llay s'avère très intéressante. Après Til Til, la ligne devient de plus en plus sinueuse et le paysage de plus en plus montagneux. Nous prenons la direction des Andes et de la ligne du fameux Transandino. La voie large arrive à Los Andes et on peut déjà apercevoir la voie métrique deux kilomètres avant l'arrivée dans la très belle gare. Un très original « Galoopingoose », sorte de bus sur rails, peint d'un orange éclatant, est en gare. Le machiniste conduit cet autorail réellement comme un bus et change de vitesse chaque fois qu'il perd de la puissance. Le trajet de la ligne est réellement spectaculaire. Il se joue des canyons, des tunnels, des ponts et, tel un condor, se faufile entre les rochers.

Le lendemain, retour à Santiago, pour s'envoler vers le Nord chilien. L'arrivée à Antofagasta est assez irréelle, car l'avion

Pour le voyageur se rendant à Los Vilos, à quelque 200 kilomètres au nord de Santiago du Chili, la vue de cette petite ferme isolée au milieu de champs fleuris posés près de l'océan Pacifique apporte une distraction bien agréable après la traversée de paysages particulièrement arides.

Pause à Illapel du train de marchandises se dirigeant vers La Calera (extrémité du réseau à voie étroite du nord du Chili). La locomotive du type General Electric a été construite au début des années soixante.

Gare du bout du monde, en plein désert d'Atacama. La gare de Baquedano voit surtout passer des trains de phosphates et de marchandises venant de Bolivie, mais ce jour-là, le petit autorail bolivien de construction allemande Ferrostal, assurant la liaison depuis la Bolivie vers Antofagasta, s'y était arrêté.

En plein désert et à plus de 3000 m d'altitude, le volcan Ollagüe dort depuis plusieurs dizaines d'années mais est toujours actif. Entre le Chili et la Bolivie, la gare désolée du même nom en est également le poste-frontière quasiment fantôme.

atterrit entre désert et mer... La région du Nord s'étend sur environ un tiers du Chili. Elle se caractérise par les hauts sommets de la cordillère des Andes et de magnifiques mais rares vallées fertiles, et surtout par le désert d'Atacama, au climat particulièrement aride. Les eaux de l'océan Pacifique, extrêmement poissonneuses, les paysages attrayants et les plages baignées de soleil font de la région du Nord une destination touristique exceptionnelle mais encore peu prisée des touristes. Un vrai régal.

Il existe un réseau ferroviaire entre Antofagasta et la frontière bolivienne (Antofagasta - Bolivia). La petite ville de Baquedano située à soixante kilomètres vers le nord, était à la grande époque une jonction ferroviaire importante avec la ligne du Ferronor. Cette dernière ligne vient du sud et continue son parcours pendant des centaines de kilomètres à travers le désert d'Atacama. Le sous-sol du désert est riche en cuivre, en nitrate, en argent et en sel, et l'endroit est l'un des plus secs au monde : il n'y pleut jamais. Un brouillard, appelé Camanchaca, recouvre parfois les régions littorales au petit matin. On se croirait sur la Lune...

Le voyage se prolonge vers l'extrémité nord du Chili, jusque Arica. Cette ville est l'une des stations balnéaires les plus prisées du Chili: il y fait beau toute l'année et la température de l'eau y est tout simplement exquise. La ville est située dans un décor aride et dénudé, au milieu des dunes d'Atacama. Les paysages de désert et d'océan n'en demeurent pas moins magnifiques. Depuis le XVIe siècle, Arica est un important carrefour d'exportation pour la pêche et les mines d'argent. Aujourd'hui encore, Arica fait office de port pour son voisin bolivien et jouit également d'un statut de zone franche. La visite de l'église San Marcos vaut vraiment le détour. Elle a été conçue et fabriquée à Paris par Gustave Eiffel et fut édifiée en 1875.

Le Pérou

LE TRAIN DU TOIT DU MONDE

Le Pérou compte parmi les joyaux du continent américain. Le pays se divise en trois zones distinctes : la "sierra" (la montagne), la "selva" (la forêt tropicale) et la "costa" (côte pacifique aux abords désertiques). Le pays renferme également des trésors archéologiques témoignant de la civilisation inca. Le voyageur connaîtra un immense plaisir à bourlinguer dans ce monde atypique et comme suspendu dans le temps. Les trains du Pérou sont à la hauteur de ses paysages, les parcours sont grandioses... et le confort inexistant.

Vêtues de vêtements traditionnels, les habitantes de Cuzco n'ont pas vraiment changé depuis des centaines d'années. Les rencontres vous font remonter le temps sous l'œil goguenard d'un lama.

Dans le centre de Lima, tous les
endroits sont bons pour le commerce. Cette petite épicerie est
installée dans le hall d'entrée d'un
immeuble d'habitations où le pro-
priétaire accueille ses clients... à
l'extérieur de son magasin.

L e Pérou est un pays d'aventures. Le chaos des rues misérables côtoie la beauté des vestiges coloniaux, la gentillesse des habitants croise la violence des trottoirs, la promiscuité touche à l'immensité des étendues sauvages...

Lima bouge beaucoup, remue, klaxonne, siffle... La majorité des Péruviens vivent concentrés dans Lima. D'année en année, un flot massif et régulier de provinciaux rejoint la capitale dans l'espoir d'y trouver un travail. Cette population, particulièrement défavorisée, se retrouve dans les bidonvilles géants qui entourent la ville.

Le centre historique de la ville se visite à pied. La Place Saint-Martin et la "Rue de la Union", grouillant de chalands et de marchands ambulants étalant leur bric-à-brac à même le bitume, valent vraiment le détour. La Place d'Armes et sa cathédrale, vestige colonial, forment sans doute l'endroit le plus agréable et le plus calme de Lima.

Le lendemain, direction la gare de Lima... pour un voyage jusqu'à Huancayo. La ligne "Central Pérou" traverse des paysages grandioses et emprunte d'innombrables viaducs enjambant de profonds canyons. A 4881 m, le train franchit le col du Ticlio, le plus élevé des Andes. Il semble s'accrocher aux flancs de la montagne, franchissant d'étroits passages pour atteindre les hautes vallées de l'intérieur. Ce chemin de fer "volant" entre ciel et terre est une véritable œuvre d'art, un spectacle que le manque d'oxygène

empêche parfois de décrire. La nuit se passera à 4500 m d'altitude avant de redescendre vers Lima.

La prochaine étape du voyage sera Cuzco. Après un lever de soleil splendide au-dessus des Andes, le vol me permet d'admirer la petite ville de couleur ocre. Ma première visite sera pour le marché de Cuzco. Il grouille de monde, de couleurs et d'odeurs. La tête m'en tourne.
Il est vrai que grimper en une heure de 0 à 3500 mètres d'altitude n'est pas habituel. Les paysans péruviens sont venus de leur campagne vendre quelques produits, disposés par terre en petits tas. Des enfants ont décidé de m'accompagner; ils sont peut-être huit ou neuf, à tourner autour de moi. Je me rends ensuite à la gare, toute proche, pour me renseigner sur les trains à destination de Machu Picchu. Demain, la journée s'annonce passionnante. Le lever sera beaucoup moins plaisant, car il faut être présent à la gare dès 5 h 30 pour

Le train sort de la vallée de Cuzco par une rude montée qu'il effectue en un zigzag plutôt folklorique : marche avant, marche arrière après le changement de chaque aiguillage. Il s'arrête dans les petites gares pour laisser descendre ou monter des paysans. J'arrive au pied du Machu Picchu vers 10 heures, juste à temps pour emprunter le bus qui mène

au site. Il part à l'assaut de "Wayna Picchu", le piton rocheux perché à 2900 m d'altitude qui domine le site de Machu Picchu. La montée prend 1 h 30, avec des passages par des "escaliers" assez impressionnants.

Le Machu Picchu, le plus fantastique des sites incas, accueille chaque année, malgré un accès difficile, de nombreux visiteurs, attirés par sa beauté et les mystères qu'il renferme. Après la découverte du site principal, je décide de m'aventurer jusqu'au temple de la Lune et la maison du

Guet. Je redescends par la face opposée à celle de la montée. A mi-pente, le chemin devient tellement accidenté que je ressens un léger vertige. Ma peine sera récompensée. L'endroit se révèle parfait pour admirer le coucher du soleil sur Machu Picchu. Un vrai moment de magie.

L'étape Cuzco - Puno est longue mais intéressante. Des Péruviens lourdement chargés marchent le long de la voie. On ne sait d'où ils viennent ni où ils vont. Le train passe par le col de La Raya à 4314 mètres d'altitude. Les paysages

Non loin de la place des Armes, dans le centre historique de Lima, plusieurs rues arborent des maisons très colorées et bien entretenues, ce qui n'est pas toujours le cas dans les autres quartiers de la capitale.

Les vêtements traditionnels gardent leur utilité dans les Andes péruviennes. L'altitude et le climat froid et venteux font apprécier les superpositions de tissus, comme ici dans les rues de Huancayo.

Après 80 kilomètres et six heures de "route" dans les Andes, cet autorail de construction japonaise en provenance de Huancavelica traverse les rues de Huancayo.

Sans doute l'attraction principale des Andes, voire de l'Amérique du Sud, le site de Machu Picchu vous fera perdre le souffle tant par son impressionnante beauté que par le manque d'oxygène.

magnifiques et parfois désertiques de l'Altiplano défilent, rythmés par la présence de solfatares sulfureux. Dans les villages, les habitants étalent les pommes de terre à même le sol afin que le soleil les sèche. La nuit, le gel les noircit, ce qui permet de les conserver..

Mon périple péruvien se poursuit par le fameux lac Titicaca, le plus haut du monde. Je prends la direction du joli port de Puno, pour me rendre sur les îles artificielles où vivent les Indiens Uros. Ces derniers ont été chassés des terres péruviennes par les grands propriétaires voulant étendre leur domaine. Les Uros n'ont alors eu d'autre ressource que de se réfugier sur les îles qu'ils ont eux-mêmes construites sur le lac Titicaca. En fait d'îles, il s'agit plutôt d'îlots de joncs entassés les uns sur les autres sur les hauts-fonds du lac. On a l'impression de marcher sur un matelas souple et spongieux. Puno abrite un intéressant petit musée municipal. On peut y admirer des pièces incas ainsi que quelques œuvres coloniales, comme ce calendrier et cette masse du XVIIIe siècle servant à frapper les pièces de monnaie...
Ma visite au Pérou se termine par la colline qui domine Puno : Cerro Huasqsapatta. Elle permet d'admirer le magnifique coucher de soleil sur la ville et le lac Titicaca. Inoubliable.

Cette petite Indienne vit sur une île artificielle construite à partir de joncs flottant sur le lac Titicaca. Les Indiens Uros furent autrefois chassés de la terre ferme par les riches propriétaires.

Le lac Titicaca est le lac le plus haut du monde. Il se situe à cheval sur les territoires du Pérou et de la Bolivie, qui en ont tous deux la propriété.
(page suivante)

La Bolivie

SUR LES HAUTS PLATEAUX

La Bolivie offre au voyageur des trésors d'hospitalité, d'aventures et d'histoire. Cette petite république enclavée fut le site d'une ancienne civilisation sud-américaine remontant à mille ans avant J.-C. Elle fut ensuite conquise par les Incas, puis par les Espagnols. Les vestiges de ces cultures abondent dans les ruines, les musées, les églises coloniales et les bâtiments du pays tout entier.

Le réseau ferroviaire bolivien est faiblement développé. Il vous garantit des aventures souvent rocambolesques et des rencontres surprenantes... C'est un réel plaisir que de découvrir une nature en grande partie toujours vierge !

Comme on peut se l'imaginer, les chemins de fer des Andes n'ont pas
été construits en ligne droite. La ligne de Sucre à Potosi reflète bien
la grande difficulté de sa construction due au relief montagneux.

La Paz, capitale gouvernementale située à 3632 mètres d'altitude, est bâtie dans un canyon naturel au pied des sommets enneigés du mont Illimani. A une telle altitude, il est nécessaire de prendre le temps de se reposer et de s'acclimater afin d'éviter le mal de l'altitude appelé soroche. La visite commence donc sur un rythme lent.

Cette ville possède suffisamment d'églises et de musées pour satisfaire les plus exigeants passionnés d'histoire. La Plaza Murillo, dans le centre-ville, abrite le palais présidentiel, la cathédrale, le Congrès national. Dans le musée national des Arts tout proche, l'on peut admirer une superbe collection d'art local colonial et contemporain. Parmi les autres curiosités figurent l'église baroque de la Plaza San Francisco et le musée de Tiahuanaco, qui abrite de magnifiques expositions d'art et d'artisanat des anciennes populations indigènes. Les multiples marchés de la ville sont tous très animés. Mais il ne faut surtout pas manquer celui, fascinant, des sorciers, où l'on vend toutes sortes de potions et de remèdes. Vous y trouvez même des fœtus de lamas séchés !

L'étape suivante est Sucre. Le voyage s'effectue à bord d'un « ferrobus », une sorte d'autorail spécialement développé pour le chemin de fer. Construit en Allemagne dans les années 60, il a la taille d'un gros bus, possède une allée centrale et des sièges inclinables. Et luxe incroyable, à l'arrière de l'autorail se trouvent même un petit W.-C. et un réduit minuscule faisant office de cuisine. Sur sa « route », le ferrobus longe les précipices et traverse les canyons. Il emprunte des ponts et des viaducs qui ne semblent devoir leur équilibre qu'à des planches placées ci et là. Après plusieurs heures de route à 4000 mètres d'altitude, l'autorail déjà bondé s'arrête dans les petites gares. Les voyageurs sont encombrés d'innombrables paquets et doivent bousculer les passagers pour pouvoir monter à bord !
On arrive au col de Condor, le deuxième plus haut sommet

ferroviaire du monde et le premier sommet à... voie métrique. Nous sommes à une altitude de 4874 mètres. Notre train joue avec les nuages et donne l'impression de planer au-dessus de paysages plus fantastiques les uns que les autres.

Sucre est la capitale constitutionnelle de la Bolivie, mais la majorité de ses ministères et de ses ambassades ont en fait déménagé à La Paz. Elle a pourtant gardé son caractère administratif et son niveau de vie est sans aucun doute plus élevé que dans le reste du pays. Les riches maisons coloniales et les belles églises n'y sont pas rares. A la gare de Sucre, les trains ne sont pas légion. Seule une locomotive Diesel japonaise est en train de manœuvrer quelques wagons de marchandises. Selon le chef de gare, un train de marchandises est censé partir vers midi pour Potosi. Je le prends. J'aimerais effectuer le trajet dans la cabine : ce serait beaucoup plus agréable que dans un wagon de marchandises. Au bout d'une dizaine de minutes de conversation... ferroviaire, le conducteur du train accepte de me laisser voyager dans la locomotive. Mon poste me permet d'observer les environs du faisceau de voies. Un petit atelier de réparation presque en ruine fonctionne vaille que vaille, des enfants jettent leurs cailloux sur des cochons, les voyageurs grimpent dans les wagons. Le train démarre lentement, très lentement même. Après une dizaine de kilomètres, le train ne dépasse toujours pas les 25 à 30 km/h. Heureusement, la ligne Sucre - Potosi traverse une campagne pittoresque. A chaque arrêt, des petits marchands, souvent des enfants, investissent le train pour proposer de la nourriture. La nature devient peu à peu aride. Les rayons du soleil cognent le minerai noir des montagnes. A l'approche de Potosi, les paysages ont quelque chose de majestueux.

Potosi est considérée comme la ville la plus haute du monde avec ses 4000 mètres d'altitude. Elle fut fondée par les Espagnols en 1545. D'immenses gisements d'argent y

La petite ville de Machacamarca a vécu durant de nombreuses décennies de ses mines à ciel ouvert. Malheureusement, elles ont toutes été fermées. Le petit dépôt ferroviaire n'est plus très actif et cette véritable voiture "Al Capone" sur rails ne sort que très rarement pour réaliser une inspection des voies.

furent découverts et la ville devint la plus importante d'Amérique latine à l'époque coloniale. Plus tard, l'étain vint remplacer l'argent. Potosi est un véritable chef-d'œuvre d'architecture espagnole avec ses toits de tuiles roses, ses balcons en bois, ses grilles en fer forgé, ses rues pavées et ses maisons immaculées.

Une visite de la mine d'argent s'impose. Equipés de bottes, d'un casque et d'une veste imperméable, mon guide et moi prenons le bus jusqu'au pied de la montagne Cerro Rico qui domine Potosi à une altitude de 4800 mètres. Au début de l'époque espagnole, cette montagne mesurait 5100 mètres. Son exploitation intensive à ciel ouvert l'a réduite à un gigantesque gruyère. L'univers minier est parti-

culièrement inhospitalier, mais la visite s'avère très instructive quant aux conditions de vie des ouvriers.

La route de Potosi à Uyuni, perchée à 4000 mètres d'altitude, est superbe. Dans les villages, chaque maison est peinte d'une couleur différente et décorée de publicités que personne ne lit. Les vêtements des Boliviens apportent également au paysage des touches multicolores.

Uyuni dégage une impression de fin du monde. Les troupeaux de lamas errent dans la pampa et je suis bien en peine de déterminer ce qu'ils mangent. En dehors de buissons épineux, de morceaux de cartons et de boîtes en plastique, il n'y a rien !

A proximité de Uyuni et du Salar d'Uyuni, ce vaste territoire recouvert de sel, un autorail ralentit pour laisser passer un petit troupeau de lamas, nullement impressionnés.

Des paysannes attendent le bus à Potosi. Elles portent leurs bébés dans un morceau de drap tissé qu'elles ont noué pour former une sorte de poche.

Ambiance de rue dans la ville coloniale de Potosi. A la mi-journée, personne ne se risque dehors à cause de la chaleur intense et du manque d'oxygène que la feuille de coca aide à supporter.

L'Argentine

LES TRAINS DE LA PATAGONIE

En Argentine, tout commence aux confins du Brésil avec les chutes d'Iguaçu, jugées parmi les plus belles du monde. Près de la frontière chilienne se dressent de hauts plateaux et les "forêts" de cactus géants de Humahuaca. Plus au sud, on découvre la vallée de la Lune, ainsi nommée parce que constituée de roches érodées dans un paysage minéral aux contours étranges. Enfin, l'Aconcagua, le "Toit des Amériques", aride, soumis à des vents forts et baigné d'une lumière éblouissante, culmine à 6959 m.

Ce paysage désolé en pleine Patagonie près de Leleque se réveille en moyenne une ou deux fois par semaine au passage du petit train appelé
"La Trochita" reliant Ingeniero Jacobacci à Esquel. Cette ligne a été construite par les Anglais pour désenclaver cette région inhospitalière.
Les locomotives à vapeur sont de construction américaine (Baldwin) et allemande (Henschel), toutes construites dans les années 40.

Surprise au milieu de nulle part à
Leleque en Patagonie quand ce jeune
Argentin surgit entre deux wagons
de marchandises du train se
dirigeant vers Esquel...

La population argentine, contrairement au reste de l'Amérique latine, est majoritairement d'origine européenne, en raison d'une immigration massive intervenue au XIXe siècle. La langue officielle y est l'espagnol, mais la plupart des citadins comprennent assez bien l'anglais. Beaucoup d'entre eux parlent même une seconde langue européenne comme l'italien ou l'allemand.

Les chemins de fer sont surtout concentrés dans la province de Buenos Aires. Depuis plusieurs années, le réseau a été privatisé. Aujourd'hui, une dizaine de compagnies privées exploitent plus ou moins bien le réseau de cet immense pays. La plupart des trains de voyageurs grande distance ont disparu. Seules subsistent quelques lignes de banlieue dans la province de Buenos Aires ou quelques petits trains perdus dans les régions peu visitées.

Buenos Aires, la capitale, fut construite en 1536 par Pedro de Mendoza. Le centre de la ville, la Plaza de Mayo, est riche en bâtiments historiques. La cathédrale de Metropolitana, construite en 1827, abrite l'un des lieux de pèlerinage les plus populaires : le tombeau du libérateur du pays au XIXe siècle, José de San Martín. Autre lieu de pèlerinage : le célèbre cimetière de la Recoleta, où repose Evita Perón, l'épouse de l'ancien président Juan Perón. A Buenos Aires, on peut assister, de jour comme de nuit, à un grand nombre de pièces de théâtre et visionner des films dans de grandes salles. Le Centro Cultural San Martín propose des productions théâtrales, des conférences et des films. En été, le Centro Cultural Ciudad de Buenos Aires projette des films en plein air. Des spectacles de tango sont donnés dans les discothèques à l'intention des touristes toujours friands de cette danse typiquement argentine.

Le train pour Bariloche roule une fois par semaine... quand il roule. Je décide donc de prendre l'avion. San Carlos de Bariloche est sans doute la ville la plus suisse - ou la plus bavaroise - des Amériques. Les émigrants allemands et suisses n'ont pas seulement construit des petits chalets en bois au bord des lacs, ils ont aussi importé leurs recettes de cuisine. L'air de la montagne se prête bien aux rassemblements autour de plats chauds et conviviaux, et choucroutes, fondues au fromage, chocolats chauds et Apfel Strudels sont devenus, assez curieusement, les spécialités du coin !

Mon périple me mène ensuite en Patagonie. Cet immense territoire s'étend de la province de Buenos Aires au détroit de Magellan. Il est jalonné de collines et de steppes qui viennent rompre la monotonie des plateaux arides. Surtout réputée pour ses nombreux glaciers et icebergs, la région est sauvagement belle. Belle, mais désolée... De fait, nue et battue par les vents, la Patagonie ne peut être mieux observée qu'à travers les vitres de la Trochita. Ce petit train désuet et attachant relie Ingeniero Jacobacci à Esquel en traction à vapeur. Détail amusant, les voitures ont été construites... à Familleureux, petit village... ardennais ! La ligne fut développée par les Anglais et la locomotive est américaine. Voilà un bel exemple de coopération mondiale ! Le trajet, long de 402 km, est parcouru en... 22 heures. Départ. Le sifflet de la 140 Baldwin réveille la nuit : il est seulement 5 h 30. A notre arrivée à Cerro Mesa, la voiture-restaurant

me sert un petit déjeuner. Cette voiture ne comprend que 12 places assises. Il s'agit de la plus petite voiture-restaurant que je connaisse. Le temps est encore froid, mais la chaleur d'un antique poêle au bois procure une douce chaleur. A Cerro Mesa, nous changeons de locomotive et la N° 19, une autre Baldwin, tirera le train jusque El Maiten, centre nerveux du réseau avec ses ateliers de réparation, son dépôt et sa gare. Le voyage jusqu'à El Maiten est monotone. Peu de vie, à part quelques moutons perdus dans l'immensité et le vent qui fait vaciller les rares arbres. J'aperçois au loin le début des Andes. A El Maiten, nous changeons à nouveau de locomo-

tive. Cette fois, une resplendissante 140 "Henschel" allemande prend la tête du train. A 16 heures, nous avons seulement parcouru 237 km depuis Ingeniero Jacobacci. Après le superbe coucher de soleil sur les sommets des Andes, le voyage se poursuit de nuit jusqu'à Esquel que nous atteindrons aux alentours de deux heures du matin.

Esquel est le point de départ pour le Grand Sud, la Terre de Feu et Ushuaia, la ville la plus australe du monde. Le gouvernement argentin voulait consacrer cet endroit à une prison ouverte. Les prisonniers y ont d'ailleurs construit

une ligne de chemin de fer forestier permettant d'acheminer le bois vers le petit port d'Ushuaia. La ligne a été reconvertie en train touristique.

Tout proche, le Parc National "Los Glaciares" abrite plusieurs grands glaciers dont Moreno, l'un des seuls glaciers au monde à poursuivre sa croissance. Le parc contient aussi le Lago Argentino, le plus grand lac du pays. La Reserva Faunística Península Valdés accueille les plus grandes colonies de lions de mer du pays ainsi que de nombreux spécimens d'éléphants de mer, de manchots de Magellan et de baleines australes. Un spectacle extraordinaire...

La Patagonie, territoire immense où les moutons sont plus nombreux que les habitants, voit peu à peu disparaître les gauchos. Ces gardiens de troupeaux tiraient leur subsistance du commerce de la laine et de la viande.

Le contrôleur du "Patagonie Express" profite d'une pause pour savourer le traditionnel "maté". Cette boisson chaude à base d'herbes se déguste dans un pot de bois grâce à une sorte de... pipe faisant également office de filtre.

Les gauchos

Cavaliers fiers et obstinés, les gauchos incarnent l'histoire et le mythe de l'Argentine. Ils restent des symboles de rébellion, de courage et de liberté face aux colonisateurs espagnols. Malgré les valeurs qu'ils symbolisent, les gauchos de Patagonie sont les oubliés de l'Argentine. Tout au long de l'année, isolés dans une nature hostile, ils ne peuvent compter que sur eux-mêmes, leurs chevaux... et leurs voisins. Ils dépendent entièrement des traditions cavalières transmises de père en fils depuis plus de 400 ans.

Ils encadrent les immenses troupeaux de bovins. La production est intensive et dans cette mer d'herbe, ces vastes champs de luzerne, de blé, de maïs ou de tournesol, les bœufs argentins peuvent brouter à leur aise avant de se retrouver sous la fourchette du gaucho. En été, ils doivent amener les chèvres dans les pâturages de montagne. C'est dans ces conditions de vie extrêmes que la solidarité prend toute sa valeur. C'est un travail d'homme, harassant et qui éloigne de la famille pendant plusieurs mois.

Aujourd'hui, les gauchos accueillent de plus en plus souvent le touriste en quête d'aventure tout en tentant de préserver leur identité, leur authenticité.

La Terre de Feu, dans le Grand Sud argentin, près d'Ushuaia, offre
des paysages de toute beauté, annonciateurs des eaux du pôle Sud.

Le Guatemala

ENTRE DEUX OCÉANS

Au Guatemala, les rares parcours en train valent le déplacement. Le dépaysement est assuré et les déraillements nombreux...

Imaginez la brume matinale dans une forêt tropicale habitée autrefois par les Mayas. Entre les frondaisons des arbres, des pyramides de pierres, vieilles de plus de deux mille ans et hautes de plus de 70 mètres, se dressent, majestueuses. Le peuple maya a plus ou moins occupé le même territoire pendant des milliers d'années. Ils étaient organisés en Etats-cités, collaborant parfois, combattant parfois, mais partageant les mêmes croyances.

Le Guatemala est un grand producteur de bananes. Les régions de Puerto Barrios et de la mer des Caraïbes en exportent des tonnes vers les Etats-Unis. Alors, ce ne sont pas quelques bananes vendues à la sauvette qui font la différence...

Les Mayas confiaient leur destinée à des prêtres dont le pouvoir provenait de leurs connaissances en astronomie, mathématiques et numérologie. Ils étaient très conscients de l'écoulement du temps; ils gravaient certaines dates sur des stèles. Ils ont sans doute consigné leurs connaissances dans des livres aujourd'hui disparus. Des prêtres espagnols catholiques fanatiques les ont systématiquement détruits pour supprimer toute trace de « croyances païennes ». Les différents groupes mayas parlaient une trentaine d'idiomes, à ce point semblables que les linguistes en conclurent qu'ils avaient la même origine. Le langage maya pourrait être vieux de 7000 ans ! De multiples questions restent sans réponse, et la cause de leur déclin reste en partie un mystère.

La ville de Guatemala se trouve dans la partie méridionale centrale du pays, dans une vallée formée par des hautes terres volcaniques. La ville fut fondée en 1775, après qu'un tremblement de terre détruisit l'ancienne capitale Antigua en 1773. Guatemala City s'est développée progressivement au point de couvrir toute la plaine. C'est aujourd'hui le plus grand centre urbain d'Amérique centrale, sa population dépassant deux millions d'habitants. Cette ville n'est pas très prisée des visiteurs. Elle est bondée de marchands de toutes sortes et de mendiants.
Départ vers Antigua, l'ancienne capitale et sans doute la plus belle ville coloniale d'Amérique centrale. La route depuis Guatemala City permet de découvrir trois volcans : Agua (eau), Fuego (feu) et Acatenango. Le nuage de fumée au-dessus de Fuego est visible de loin. Sa lueur rouge est particulièrement jolie la nuit. Antigua fut érigée en 1572. Elle fut ensuite détruite par un volcan. Elle fut reconstruite, puis abandonnée dans les années 1770, après avoir été dévastée par un terrible tremblement de terre.

Au centre de la belle place d'Antigua se trouve La Llamada de las sirenas, la fontaine des sirènes, dessinée en 1739, par Diego do Porras, l'architecte principal de la ville. La fontaine représente plusieurs sirènes dont l'eau s'écoule par leur bouche. A l'époque, les habitants d'Antigua, éloignés de toute mer, nourrissaient une passion singulière pour les océans. Ils imaginèrent de recréer une atmosphère maritime au centre de la ville, à un endroit où ils pourraient se réunir en espérant entendre l'appel des sirènes chaque fois qu'ils seraient présents.

Le Parc Central est un lieu de rendez-vous des habitants et des voyageurs. Les marchands du coin y déballent leurs produits (tissus, poupées, couvertures et poterie) tout autour de la place. Au sud du parc se trouve le Palacio de los Capitanes. Entre 1543 et 1773, l'édifice était le centre névralgique politique de toute l'Amérique centrale. Aujourd'hui, il abrite le quartier général de la police.

Antigua, la plus belle ville coloniale d'Amérique centrale, possède une cathédrale remarquable.

Les petites villes du Guatemala se ressemblent. Les habitants prennent le temps et les commerces regroupent des activités diverses comme cette pharmacie offrant également un service de "courrier express".

L'église coloniale de la Merced est la plus impressionnante d'Antigua. Son nom complet, Iglesia y Convento de Nuestra Señora de La Merced, signifie « église et couvent de Notre-Dame de la Miséricorde ». La façade jaune de l'église est de style baroque datant du milieu du XIXe siècle. Non loin de là, je peux encore apercevoir les ruines du couvent Santa Clara, fondé en 1699, et particulièrement populaire auprès des femmes de l'aristocratie désireuses de prononcer leurs vœux. Aujourd'hui, les ruines sont presque envahies par les fleurs, ce qui n'entame pas pour autant leur charme. Vous vous devez de visiter également la Casa Popenoe, demeure extraordinaire construite par un officier de sa majesté, Don Luis de las Infantas Mendoza y Venegas, en 1636. Après 150 ans d'abandon, la maison fut rachetée en 1931 par un médecin et son épouse. Ils lui

redonnèrent sa splendeur d'origine et recréèrent les conditions de vie des gens fortunés du XVIIe siècle.

Le lac Atitlan porte aussi le surnom de « Lieu des étrangers » ou Gringotenango. Dans les années soixante et septante, l'endroit regorgeait de hippies. D'après la légende des Quichés, le lac Atitlan représentait l'un des quatre coins du monde, les trois autres étant représentés par d'autres lacs. Le lac, profond de 320 mètres, est une caldeira (cône volcanique effondré), entourée de collines verdoyantes.

Mon voyage en train commence. Direction Zacapa et Puerto Barrios, sur la mer des Caraïbes. Une épaisse fumée noire déchire le ciel, la locomotive à vapeur américaine n° 205 est déjà prête devant une rame de voitures vertes. Le train s'insinue dans les rues de Guatemala City en sifflant

La locomotive à vapeur Baldwin n° 205 du type 141 de mon périple "fonce" à 30 km/h vers Guatemala City avec un train mixte "marchandises–voyageurs".

Salutations des habitants de ce petit village perdu que le train visite une fois par semaine... quand il roule !

de manière quasi ininterrompue. Les habitants enlèvent alors rapidement sacs, tables et voitures qui se trouvent tout simplement au beau milieu de la voie. C'est affolant ! Quelques kilomètres plus loin, le train traverse une vallée immense sur un vieux viaduc qui ressemble à un ouvrage d'Eiffel. Il faut avoir le cœur bien accroché. Le paysage qui défile est extraordinaire. J'aperçois même un volcan qui crache encore un peu de lave. Le train arrive à Zacapa, un ancien centre ferroviaire qui possède encore une rotonde et une douzaine de locomotives à vapeur. Elles n'ont certainement plus roulé depuis longtemps !

Le lendemain, le voyage se poursuit vers Puerto Barrios. La même locomotive est encore en tête de mon train. Il n'est que six heures du matin et déjà les vendeurs de toutes sortes s'installent aux quatre coins de la gare. On part

seulement avec une heure et demie de retard... La ligne ferroviaire est en très mauvais état et la vitesse ne dépasse pas les 20 à 30 kilomètres à l'heure. Une dizaine de kilomètres plus loin, un énorme vacarme interrompt les coups de sifflet intempestifs du conducteur. La locomotive et le premier wagon ont déraillé. Apparemment, les Guatémaltèques ne sont pas très inquiets, visiblement habitués qu'ils sont à subir ce genre d'événement. Avec des moyens du siècle passé, mais en moins de deux heures, ils remettent locomotive et wagon sur rails... 80 tonnes ont été ainsi déplacées avec seulement quatre hommes... Surprenant ! On repart. Les quelque 150 kilomètres nous séparant de Puerto Barrios se feront... en 14 heures. Ça, c'est de la TPV, autrement dit « Très Petite Vitesse » ! Mais quelle expérience...

Cuba

LES TRAINS DE GRAND-PAPA

Christophe Colomb prit Cuba pour le Japon et en tomba immédiatement amoureux lors de son expédition en 1492. La plus grande île des Caraïbes représente une belle synthèse de cultures. C'est une nation en constante évolution. Le dogme communiste s'affaiblit face au pragmatisme de l'économie de marché et les habitants accueillent les touristes à bras ouverts. Dans les grandes villes, il n'est d'ailleurs pas rare de se faire aborder: ¿ Quiere una casa particular ? ¿ un taxi ? ¿ puros ? « Vous cherchez un hébergement chez l'habitant ? un taxi ? des cigares ? » A croire que tous les Cubains se sont transformés en pourvoyeurs pour touristes ! Oubliez pourtant ce premier contact et découvrez leur vraie nature, souvent chaleureuse.

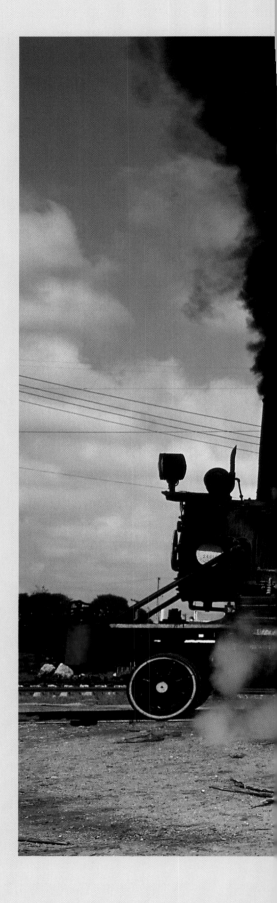

Scène unique, le temps s'est arrêté à Cuba. La rencontre d'une locomotive à vapeur de construction américaine (Baldwin n° 1343 du type 131T de 1904) et d'une voiture américaine des années 50 dans la centrale sucrière de "Marcelo Salado".

A Cuba, les passionnés de chemin de fer seront également comblés. Pas moins de 14 000 kilomètres de lignes furent construites, au départ principalement pour l'exploitation de la canne à sucre. Ce réseau sucrier est toujours exploité. Il utilise un nombre encore élevé de locomotives à vapeur, véritables reliques des décennies passées... Le réseau ferroviaire national est encore très complet et il permet de se déplacer en train dans une grande partie de l'île. Toutefois, les retards ou les convois supprimés par manque de matériel ou de carburant ne sont pas rares. Néanmoins, les rencontres sont souvent originales et sympathiques. J'ai partagé leurs moyens de locomotion. Camions-bus, vieilles Chevrolet des années 50, bicytaxi, trains laitiers, trains à vapeur et bus sur rails...
Todos a bordo por favor.

La Havane est une ville fascinante, riche en histoire et en architecture. La cathédrale, les couvents et les bâtisses coloniales sont les témoins des fastes d'antan. L'humour n'est pas absent de la capitale et une réplique du Capitole de Washington trône au centre-ville. Le vieux Havane commence heureusement à se restaurer et le contraste avec certains quartiers particulièrement pauvres et complètement décrépis est saisissant. Je visite le musée de la Révolution riche en vêtements, armes et objets ayant appartenu aux héros de la Révolution. Les journaux, les photos, les témoignages de cette époque tourmentée foisonnent. Un peu plus loin, le bateau « Granma » sert de mausolée cubain. C'est l'embarcation des révolutionnaires et de leurs chefs Fidel Castro et Che Guevara à leur retour du Mexique. A côté du bateau, une camionnette transpercée

Devant le Capitole de La Havane, une superbe rangée de voitures des années 50 vous attend. Plusieurs dizaines de milliers de ces voitures roulent encore quotidiennement et souvent par miracle dans l'île crocodile.

de nombreuses balles rappelle la violence des combats.

A La Havane, la vie est trépidante et les touristes nombreux. Aujourd'hui, les Paladar, restaurants privés, côtoient « El rapido », sorte de McDonald's à la cubaine, et un marché artisanal leur est même consacré.

Ma première étape en train est Cienfuegos. J'ai besoin d'un taxi, car la gare se trouve à 5 ou 6 kilomètres d'ici. Une vieille Buick finit par s'arrêter et me demande où je me rends. La gare ? Ce sera 3 dollars. A peine un kilomètre plus loin, le chauffeur s'arrête dans une station-service et me demande déjà les trois dollars. Il n'a plus une goutte d'essence. J'arriverai tout de même à la gare à temps. Renseignements pris, le train pour Cienfuegos et Trinidad est bien prévu mais il ne part qu'à 11 h. Cette attente forcée me permet de visiter la gare, un immeuble de toute beauté, témoin d'une

époque ferroviaire révolue. La première locomotive à vapeur cubaine, la « Junta », de 1843, y est également exposée. Le train part enfin, bondé. Je discute avec une famille de Cubains de La Havane allant visiter leur famille dans la région de Cienfuegos. Le voyage se poursuit lentement. Le train emprunte la ligne du Sud qui n'est pas en très bon état et on arrive à Cienfuegos le soir seulement.

La ville de Cienfuegos, fondée en 1819 par un Bordelais, possède de belles avenues coloniales, une très belle place, un Malecon comme à La Havane.

Les trains pour Trinidad ont été supprimés il y a une quinzaine d'années et le lendemain matin, la corvée taxi recommence. Les taxis refusent de me prendre, car ma destination éloignée de 80 km les rebute. Enfin, après une longue attente, une minuscule voiture rouillée consent à

s'arrêter. Deux passagers y sont déjà installés. Comment y faire entrer mon gros sac, mon attirail photo et accessoirement... moi-même ? Pourtant, le voyage se passe agréablement, entre montagne et mer, et je déambule bientôt dans les ruelles pavées de Trinidad. Cette agréable bourgade de province a conservé une atmosphère paisible, à l'opposé de l'agitation de La Havane. La Plaza Mayor, ses jardinets et ses bancs sont particulièrement accueillants.

Je rejoins Sancti Spiritus situé à 80 km de Trinidad à bord d'une vieille Lada. En deux heures et demie. J'assiste à un véritable défilé d'engins plus folkloriques les uns que les autres : vélomoteurs « side-car » ou tirant une charrette avec un passager, charrettes tirées par des chevaux, des bœufs ou des zébus, vélo tiré par une voiture...

La conduite devient plus hasardeuse encore à la tombée de la nuit. En effet, peu de véhicules disposent de feux de signalisation, si bien que nous ne les apercevons qu'au dernier moment... sans parler des innombrables nids-de-poule. La conduite de notre chauffeur est risquée. Il n'hésite pas à doubler entre deux carrioles. Les cyclistes, apparemment peu conscients du danger, n'ont d'autre issue que de se ranger sur le côté. Il est temps d'arriver : il est 20h00.

Les habitants, comme ici à Santiago de Cuba, la deuxième ville du
pays, vous consacreront du temps pour discuter sans jamais regarder
leur montre...

Dans la campagne cubaine, les maisons sont fabriquées à partir de
matériaux locaux tels que le mélange de feuilles de bananiers,
cocotiers et cannes à sucre pour le toit. Les murs sont quant à eux
produits à base de pierres et d'argile.

Patrimoine mondial de l'humanité, la ville de Trinidad, longtemps
prospère grâce à la canne à sucre, a conservé le charme du passé.

La petite "Baldwin" du type 141 à voie étroite, construite en 1920, tracte fièrement son convoi de canne à sucre près de Potrerillo. Le terminus du voyage : la centrale de "Mal Tiempo", une usine de broyage de la canne à sucre pour en obtenir la mélasse.

Locomotive électrique "General Electric" de 1920 du seul réseau électrique à Cuba portant le nom de "Hershey". Le machiniste d'une vingtaine d'années conduit une locomotive aussi âgée que pourrait l'être son grand-père.

Je poursuis mon périple par Camaguey où j'embarque dans un « train laitier ». Cet omnibus pour passagers a hérité de son surnom, car à une certaine époque, il procédait également au ramassage des pots de lait. Le lendemain matin, j'arrive à Santiago de Cuba, deuxième ville du pays.

Etablie en 1514, Santiago est située sur un promontoire surplombant la mer des Caraïbes, au pied de la Sierra Maestra. On l'appelle aussi le "Berceau de la Révolution". C'est là que Fidel Castro et ses rebelles essayèrent de renverser le régime de Batista en attaquant les casernes de Moncada, en 1953. Bien que l'assaut ait échoué, la date fut retenue comme celle du début de la révolution. La ville possède quelques-uns des plus anciens bâtiments du pays. Elle abrite également 14 musées, dont le plus vieux de Cuba, le musée Bacardi. A cinq heures du matin, une odeur de fumée envahit ma chambre. J'entends des bruits, des gens qui parlent... Je regarde prestement par les persiennes et... je découvre le voisin en train de faire du feu en pleine ville ! Le policier posté au coin de la rue n'y prête même pas attention.

Départ du train express pour Santa Clara et ses centrales sucrières. Beaucoup possèdent encore de superbes locomotives à vapeur qui fonctionnent durant le temps de la « Zafra » - ou récolte de la canne à sucre.
Direction la centrale de « Ifrain Alfonso » dont l'imposante cheminée se voit depuis des kilomètres. Deux locomotives

141 de construction américaine Baldwin et Alco sont prêtes au départ dans le petit dépôt. Quelle joie de voir ces monstres d'acier tracter des dizaines de wagons chargés de canne à sucre. Il est vrai que les Cubains peuvent remettre en état tout - ou disons presque tout.
Le voyage se poursuit par la région de Pinar del Rio et la vallée de Vinales. Enfin un tronçon de route tranquille ! Quelques voitures et charrettes à vache se disputent des kilomètres de bitume. A Pinar del Rio, un chauffeur de taxi me propose de me conduire à Vinales pour 30 $. La distance n'est que de 30 km ! Je réussis à négocier à 5 $, mais je dois accepter son intermédiaire pour trouver un logement. Je décide de partir en balade en vélo. Ceux loués par les voisins sont en parfait état, paraît-il... On me propose un vélo sans freins et des pneus usagés...

Finalement équipé d'un vélo correct, je tombe sous le charme de la vallée de Vinales, baignée par une superbe lumière de fin d'après-midi. J'apprécie la balade au milieu des "mogotes", sur la terre rouge. Je rencontre un paysan à qui je propose d'acheter des fruits. Très gentil, il m'invite chez lui et me propose une boisson. Sa maison est très pauvre. Il m'offre pourtant des pamplemousses, des oranges, et un fruit peu connu, le chirimolla, sans rien exiger en retour...

Cuba, l'île « Crocodile », vous emporte, vous aime.

La région de Pinar del Rio à l'ouest de La Havane est une des plus romantiques, grâce notamment à ses collines arrondies par le temps, les Mogotes. Son microclimat et ses terres exceptionnelles donnent les meilleurs tabacs du monde...

L'Amérique du

Le continent nord-américain fascine encore une bonne partie de la planète. Tout y est démesuré. New York, Chicago, San Francisco, Los Angeles, Dallas... sont des noms qui nous sont familiers.

Les Etats-Unis se veulent les meilleurs. Ils se veulent libres et comptent bien le faire entendre au monde entier d'une façon parfois un peu arrogante. Grâce à sa situation géographique, les guerres mondiales ont toujours épargné le territoire de l'Amérique du Nord. Son économie a pu se développer, en partie grâce à la production militaire desservant presque tous les fronts de guerre du monde.

Le Canada est le deuxième plus grand pays du monde après la Russie, juste devant la Chine et les Etats-Unis. Avec le Transsibérien et les transcontinentaux américains, le « Trans Canadian » est un périple exceptionnel entre Toronto et Vancouver.

Un passage par l'Alaska, le dernier Etat de la super-puissance américaine, vous apportera une sensation de fraîcheur et de liberté.

Nord

Au détour d'une route nationale, les publicités sont à l'échelle du continent, démesurées.

Les Etats-Unis

WELCOME ABOARD

Les grands trains américains véhiculent tout un univers de légendes, comme celle de la conquête de l'Ouest, du gangster Al Capone et de sa ville Chicago, etc. Malheureusement, depuis que l'avion et la voiture ont remporté la bataille des transports, le réseau nord-américain des trains de voyageurs a vieilli. Il subsiste néanmoins quelques Transcontinentaux exceptionnels, incroyablement longs, tractés par plusieurs locomotives développant fièrement plus de 20 000 chevaux. Impressionnant !

Ce train de conteneurs semble minuscule dans ce paysage vallonné de Californie, non loin de Tehachappi... Il compte pourtant plus de 100 wagons et les locomotives Diesel du "BNSF", Burlington Northern Santa Fe, ont bien besoin de toute leur puissance pour le tracter.

La région de la célèbre route 66 en Arizona fut le décor de beaucoup de films tels Bagdad Cafe, Star Wars...

Ce magasin de la petite ville de Williams près du Grand Canyon prouve, s'il en est besoin, que tout se vend et s'achète aux Etats-Unis.

U ne des plus importantes lignes ferroviaires du réseau Amtrak, la California Zephyr au nord des Etats-Unis, traverse les montagnes Rocheuses et une dizaine d'Etats. Utilisant la voie de l'Union Pacific et de l'ancienne Southern Pacific, elle part de Chicago, franchit plus de 3900 kilomètres et arrive à Oakland, puis à San Francisco, deux jours plus tard. La California Zephyr vous fera passer par Omaha, Denver, Cheyenne, Ogden, Reno... et le col du Donner Pass.

Point de départ : Union Station Chicago, cachée par une forêt de gratte-ciel. De petit village né en 1833, Chicago est devenue une métropole grâce à la construction du réseau Est - Ouest et le fameux Transcontinental. Le développement de la ville de Chicago commence en 1852 avec la construction d'un centre de transport de marchandises. Ensuite en 1871, toujours grâce au chemin de fer, la ville se développa rapidement comme centre industriel, financier et des arts. Aujourd'hui, le traditionnel « All aboard ! » (tous à bord) ne résonne plus quand un train de voyageurs prend le départ. Les « porters » rentrent les marchepieds dans les voitures, les portes massives se ferment et, quelques secondes plus tard, le convoi s'ébranle silencieusement.

Le convoi California Zephyr est composé de dix voitures Superliners à deux niveaux, hautes de plus de 6 mètres. Une voiture normale convoyant les bagages et le courrier est accrochée derrière la deuxième locomotive Diesel. Le Superliner de tête est généralement destiné au personnel de bord. Les « porters », ces employés qui placent les voyageurs et veillent sur leur confort, les cuisiniers, les barmans... restent à bord pendant toute la durée du voyage. Les contrôleurs et les mécaniciens, en revanche, sont remplacés entre chaque section de la ligne et n'ont donc pas besoin de disposer de cabines à bord du train.

Les Superliners, construits par Pullman entre 1978 et 1980, sont des voitures de seconde classe standard de type coach. On y trouve des cabinets de toilette au niveau supérieur, des petits salons au niveau inférieur et un escalier en colimaçon

pour passer de l'un à l'autre. Ensuite vient la voiture panoramique « lounge car ». Elle remplace aujourd'hui les célèbres « dome cars » à bulles de verre mises pour la première fois en service en 1945, par la Burlington Railroad. Au niveau supérieur de la « lounge car », les fenêtres débordent largement sur le toit et les sièges des passagers pivotent. Le niveau inférieur est occupé par un buffet et une salle de jeux. Les deux niveaux accueillent bar et télévision. Des films sont également projetés lorsque l'obscurité empêche d'admirer le paysage. L'ambiance est bon enfant.

Le California Zephyr traverse une série de petites bourgades aux noms bucoliques de Galesburg, Burlington, Mount Pleasant ou Creston. Les fermes et les immenses champs cultivés défilent sans fin. Le train atteint ensuite la ville d'Omaha. Il continue sa route à travers le Nebraska et longe la rivière qui guida les Mormons en route vers l'Utah. La naissance de l'Eglise mormone date de 1830, quelques années avant le début de la construction des chemins de fer aux Etats-Unis. Pour la majorité, immigrants européens, les Mormons venaient de la côte Est et des grandes villes comme New York. Le Pony Express empruntait lui aussi la même route. Cette sorte de diligence à deux ou quatre chevaux voulait concurrencer le « cheval de fer » pour le transport de personnes et de marchandises dans l'Ouest.

Après une lente traversée des faubourgs et des dépôts de marchandises plongés dans la pénombre, le California Zephyr atteint la gare de Denver. Ville historique de la ruée vers l'or à partir de 1858, Denver a toujours été un point central entre Chicago et la côte Ouest. L'arrêt permet aux équipes d'entretien de s'occuper du train et aux nouveaux passagers de monter à bord.

On repart en direction de l'Ouest, et le paysage devient montagneux. Le parcours jusque Salt Lake City est particulièrement joli : canyons, montagnes et rivières se succèdent. La capitale de l'Utah a été fondée en 1874. L'influence des Mormons y est omniprésente.

C'est également tout près d'ici qu'est commémoré chaque année l'achèvement du premier Transcontinental américain avec le fameux "Golden Spike" (clou d'or). Au nord du Grand Lac Salé, au lieudit « Promontory », le 10 mai 1869, Leland Stanford, le président de la « Central Pacific », donna le premier coup de masse à un crampon plaqué d'or. Il le manqua et le président de l'Union Pacific, qui le suivait, le manqua également. Mais tout le monde avait compris la valeur symbolique du geste: le rail joignait l'Atlantique au Pacifique. Depuis trois siècles et demi, les hommes cherchaient un chemin direct vers l'Inde et la Chine à travers l'Amérique. On avait abandonné l'espoir de trouver une voie fluviale à travers le continent. D'ailleurs, les canaux ne fonctionnent que lorsqu'il y a assez d'eau et qu'ils ne sont pas gelés, conditions impossibles à travers le continent américain.

Peu après le départ de Salt Lake City, nous traversons le Grand Lac Salé sur une sorte de digue longue de plus de 50 km. Un parcours irréel. On croit rouler sur l'eau... Après les villes de Elko, Winnemucca et Sparks, nous entrons dans « la plus petite grande ville du monde » : Reno. Deuxième centre de jeu du Nevada derrière Las Vegas, Reno semble, elle aussi, surgie du désert. Après Reno, nous longeons le « Donner Lake », un grand lac au pied des montagnes, et nous poursuivons vers l'ouest en direction du « Donner Pass » et la Californie. Le nom de l'endroit a été donné par la famille Donner de l'Illinois, dont la grande majorité d'entre eux périrent... au « Donner Lake » par un blizzard exceptionnel en 1847.

Quelques heures plus tard, le California Zephyr arrive à Sacramento, qui accueille le plus beau musée ferroviaire de tous les Etats-Unis. Des plus petites aux plus grandes, toutes les locomotives sont exposées ici. Les reconstitutions sont impressionnantes de réalité. La voiture Pullman des années trente donne vraiment l'impression d'avancer lorsque l'on se trouve à l'intérieur.

Une centaine de kilomètres seulement me séparent de la côte Pacifique. Le California Zephyr traversera la grande plaine entre Sacramento et la côte en deux heures. Nous arriverons à Oakland, en face de San Francisco, avec deux heures de retard. Délai raisonnable, lorsque le voyage prend deux jours et deux nuits depuis Chicago.

Oakland constitue le point de ralliement de plusieurs grands trains d'Amtrak. Le « Coast Starlight », par exemple, partant de Seattle pour rallier Los Angeles, traverse des paysages vraiment magnifiques.

Tel un long serpent, ce train de marchandises relie en quelques jours la côte Est et la côte Ouest. Les compagnies de fret ferroviaire américaines sont de gigantesques entreprises, possédant parfois des milliers de locomotives.

San Francisco pointe aux confins du continent. A l'ouest, l'océan Pacifique s'étend à l'infini. Au nord, le détroit du Golden Gate, franchi par le fameux pont du même nom, relie l'océan à la baie de San Francisco. Ce havre naturel aux proportions titanesques (120 km de longueur sur 50 km de largeur) est parsemé de nombreuses îles. San Francisco est une ville follement belle, mélange de pure merveille et d'excentricité loufoque.

Les deux lignes ferroviaires entre San Francisco et Los Angeles sont tout aussi belles. La première longe en grande partie l'océan Pacifique en passant par San Luis Obispo. L'autre traverse l'intérieur des terres et le fameux « Tehachappi Loop ». A certains endroits, il est possible d'observer le même train sans bouger à trois endroits différents et à des altitudes différentes. Un autre endroit intéressant est sans aucun doute le « Cajon Pass ». Les lourds et longs trains traversent le col au maximum de leur puissance. Certains d'entre eux continuent leur chemin vers l'Arizona et Albuquerque.

Mon deuxième trajet emprunte la ligne Burlington - Santa Fe vers la frontière de l'Arizona. Le paysage est aride mais très photogénique. Je me trouve sur la mythique Route 66.

Le gouvernement fédéral sentit le besoin d'un système national d'autoroutes et en 1927, le National Highway System fut créé. Les habitants de 8 Etats fondèrent l'association Route 66 pour accélérer la construction de leur autoroute. Le nom thématique « La Grande Rue de l'Amérique » fut adopté. Les épouvantables tempêtes de poussière de cette époque forcèrent les « Okies et les Arkies » (habitants de l'Oklahoma et de l'Arkansas) à prendre la Route 66 vers la Californie. Cet exode contribua à la croissance économique du sud-ouest, très pauvre, et procura, tout au long de la route, de nouveaux débouchés à une multitude de gens. Avec la guerre, la production automobile stoppa, le rationnement de l'essence commença et les pneus devinrent rares, ce qui eut des répercussions pour la Route 66. La création massive d'emplois liés à l'industrie de la défense, surtout en Californie, entraîna une nouvelle vague de migration le long de la Route 66. En même temps, la Route 66 était importante pour la circulation militaire, le transport des troupes, du ravitaillement et de l'équipement, mais elle n'était pas adaptée au poids d'un tel trafic et elle a commencé à s'effondrer. Jusqu'à Holbrook, la route n'est que partiellement bitumée, voire parfois quasiment inexistante. De nombreuses portions sont inondables, recouvertes de boue ou en très mauvais état.

Attendez-vous donc à rencontrer souvent le panneau « Dead End » (sans issue) et à devoir faire demi-tour. C'est à Seligman, au Barber Shop d'Angel Delgadillo, que naquit le mouvement de protection de la vieille Route 66 et donc la première association en 1979.

Continuons jusqu'à Flagstaff. Etablie en 1876, Flagstaff est une ville typique de la Route 66 avec son alignement de motels sur la rue principale et ses nombreuses enseignes lumineuses. La ville possède plusieurs bâtiments anciens, comme le dépôt du Santa Fe Railroad, construit en 1926 dans le style Renaissance Tudor. Vous aurez l'occasion de croiser sur cette portion de route l'un des 80 trains quotidiens qui empruntent la ligne Santa Fe. Il n'est pas rare de voir passer cinq locomotives tirant plus de 100 wagons.

Flagstaff, a failli devenir la capitale mondiale du cinéma. Quelques années avant la mise en service de la Route 66, Cecil B. DeMille et Jesse Lasky quittent New York avec l'idée de tourner un film dans l'Ouest. Dans des décors naturels, avec de vrais cow-boys et de vrais Indiens. Ils étaient convaincus que Flagstaff était l'endroit idéal. Malheureusement, sur place, le vent, la pluie glaciale et la neige les firent reprendre le train pour... Los Angeles, où ils réalisèrent le premier long métrage, Squaw Man, en 1914, avec des cow-boys de cinéma. Dans la ville de Williams - du nom d'un célèbre trappeur -, j'embarque dans le « Grand Canyon Railway », un train tracté par une superbe locomotive à vapeur. Il permet d'atteindre le Grand Canyon en deux heures. Ses voitures panoramiques et ses salons vous permettent de profiter pleinement du spectacle grandiose de la nature.

Le Grand Canyon! Avec ses 443 km de long, 16 km de large et 1600 m de profondeur. Se retrouver face à une telle immensité est totalement irréel. L'impression d'admirer un tableau m'a souvent effleuré tant le spectacle est inhabituel. Ce n'est pas seulement le vide, c'est également le gigantisme qui bouscule nos repères. Cette faille terrestre impressionnante, où le fleuve Colorado s'est frayé un passage au fil des siècles, étonnera toujours.

Je termine mon séjour par Durango au Colorado. C'est là qu'un vieux train à vapeur de 1880 fait découvrir à ses passagers les paysages sauvages de la « San Juan National Forest ». Ce train offre jusqu'à Silverton un inoubliable voyage de 45 km, au cours duquel il longe la rivière Animas, frôle des falaises abruptes et enjambe des gorges d'une profondeur impressionnante.

San Francisco érigée sur les collines de la côte du Pacifique offre avec ses maisons victoriennes une des plus belles images de l'Amérique du Nord.

Le Grand Canyon est sans doute le site naturel le plus visité au monde. La rivière Colorado offre 300 km d'un paysage de mesas et de gorges érodées que les lumières changeantes et les jeux d'ombres rendent lunaire et irréel.

Le Canada

'TORONTO-VANCOUVER', L'AUTRE TRANSCONTINENTAL

La traversée d'est en ouest du Canada, de
Toronto à Vancouver, est l'un des plus longs
et des plus beaux voyages en train dans le
monde : 4467 kilomètres. Le « Canadian »
traverse cinq Etats, du Bouclier canadien à la
côte du Pacifique, en passant par la Prairie et
la chaîne des Rocheuses. Il s'arrête dans
quelques-unes des plus belles cités du
Canada, comme Winnipeg et Edmonton, dans
des sites naturels spectaculaires, comme les
Rocheuses, mais aussi dans des petites villes
qui n'ont pratiquement pas changé depuis
cent ans.

Au Canada, comme ici près de Squamish en Colombie-Britannique, des 4 x 4 ont été adaptés à la circulation sur rails afin de pouvoir vérifier l'état des voies et assurer la sécurité des trains.

P oint de départ du périple : la grande gare de l'Union Station de Toronto. Le train n° 1 ou n° 2, selon le sens de la marche, circule entre les Grands Lacs canadiens et la Colombie-Britannique. La société VIA RAIL, qui exploite le « Canadian » aujourd'hui, a dépensé environ 200 millions d'euros pour le moderniser. Elle a également eu la bonne idée de garder le look des années cinquante et soixante des coques des voitures.

J'ai décidé de voyager en première classe, c'est-à-dire en classe Argent et Bleu (Silver & Blue), et d'effectuer une partie de ce parcours exceptionnel dans une voiture panoramique. Le train n° 1 en compte trois dont la voiture « Skyline » surmontée d'un dôme de verre. Un tel voyage en train favorise toujours les contacts entre passagers. Ce voyage ne fit pas exception à la règle. Les personnes de mon compartiment, Canadiens, Européens ou Japonais, forment bientôt un groupe très joyeux, et la fête ne cesse quasiment plus jusqu'à notre arrivée.

Nous découvrons d'abord la très belle région de lacs et de bois qui s'étend au nord de Toronto. Chaque virage nous révèle une autre forêt, une autre rivière, un village... Ensuite commence la longue traversée du Bouclier canadien. La contrée est sauvage et splendide, les eaux riches en castors et en poissons. Le train s'arrête d'ailleurs dans les petites gares pour laisser descendre trappeurs et pêcheurs.

La forêt laisse place aux grandes plaines, et l'horizon se résume à une plaine infinie. Ce paysage plat s'avérerait vite monotone et ennuyeux si ses couleurs n'étaient si changeantes... Deux villes jalonnent ce parcours : Winnipeg, la capitale du Manitoba, et Saskatoon, la grande cité du Saskatchewan. Winnipeg, au confluent de la Rivière Rouge et de l'Assiniboine, symbolise la porte de l'Ouest canadien. Elle représente aussi le seul point où se croisent les deux grandes lignes transcontinentales du pays, la « Canadian Pacific » et le « Canadian National ». Le court arrêt me permet de croiser quelques couples maronites attendant que l'on vienne les chercher à l'extérieur de la gare. Les membres de cette secte religieuse cultivent la terre, se déplacent

Le port de Seward, au sud de l'Alaska, est un port de pêche et de tourisme important. Les amateurs de pêche au saumon s'y retrouvent par milliers.

A près un vol paisible au-dessus du pôle Nord, un temps sans nuage permet de découvrir le Pôle ainsi que le mont McKinley haut de 6194 mètres.

Anchorage, la capitale économique, a été complètement détruite par un très violent tremblement de terre en 1964. Pourtant, l'absence totale de traces de ce séisme est impressionnante. La reconstruction a été rapide et soignée. L'économie est basée sur la production du pétrole, du gaz naturel, du bois, des mines d'or, d'argent et de cuivre, ainsi que la pêche. Sur les 560 000 habitants répartis irrégulièrement sur tout le territoire, 258 000 vivent à Anchorage et 100 000 dans la capitale, Juneau.

La presqu'île de Kenaï, voisine d'Anchorage, est plus intéressante que la capitale. La ressemblance avec les fjords de la côte norvégienne est frappante... Seward est une très jolie petite ville et son port accueille les grands bateaux de croisière. Beaucoup d'habitants d'Anchorage vont pêcher, des heures durant, dans les rivières ou dans la mer. A la saison de la remontée des saumons dans les rivières de l'Alaska, l'eau est secouée de remous incessants. Les pêcheurs sont heureux... car chaque lancer leur apporte un saumon !

Les trains jouent encore un rôle essentiel, notamment dans le développement touristique de cette partie reculée du monde. Le lendemain, je décide de me rendre à Fairbanks. Le long train traverse la nature encore vierge de l'Alaska du sud au nord sur une distance de 600 km. Mon bonheur est total. Voitures panoramiques, excellent restaurant, sièges inclinables et soleil radieux donnent à la nature d'automne des reflets mordorés. Le train traverse le superbe parc naturel de Denali jusqu'à Fairbanks.

Pour rejoindre Skagway et le chemin de fer du Yukon, je rallie Juneau par avion et je prends ensuite le ferry. Aucune

La petite ville de Skagway aux allures de bourgade "western" fut le point de départ de la conquête de l'or en Alaska, à proximité de la frontière canadienne et du territoire du Yukon.

route ne traverse les fjords et l'arrivée à Skagway se fait par « l'autoroute maritime ». Situé à la pointe sud-est de l'Alaska, à la frontière avec le Canada, le White Pass & Yukon est maintenant un chemin de fer touristique. Jusqu'en 1982, il était l'un des derniers chemins de fer à voie étroite (écartement de 3 pieds : 0,914 m) en exploitation commerciale en Amérique du Nord. Il reliait déjà le port de Skagway (Alaska) à la ville de Whitehorse dans le territoire de Yukon (Canada) sur une distance de 177 km. Il franchit la chaîne côtière par le White Pass, un col à 879 m d'altitude, marquant la frontière avec le Canada. Le train atteint le col grâce à une longue rampe à la pente de 3,9 %, puis traverse les paysages de toundra, les lacs et les montagnes de la pointe nord-ouest de la Colombie-Britannique, avant d'atteindre le Territoire de Yukon. Ce chemin de fer international, isolé de tout autre réseau ferré, trouve son origine dans la ruée vers l'or du Klondike en 1896 dans le

Territoire de Yukon. Il a ensuite subsisté à travers le XXe siècle en s'adaptant aux divers courants de trafic issus de cette région isolée, tels que le minerai et le pétrole.

Trois kilomètres seulement après le départ, le train commence à grimper en suivant les courbes et en longeant une rivière démontée. Les conditions du relief et du climat sont particulièrement inhospitalières et on imagine sans peine les difficultés rencontrées par les pionniers de la ruée de l'or pour construire cette ligne. Le sommet marque la frontière entre les Etats-Unis et le Canada. Un arrêt est prévu, mais aucun contrôle de passeport n'est effectué. Le train poursuivra sa route au Canada sur une bonne vingtaine de kilomètres. La ligne s'arrête ensuite brusquement. Le conducteur de la locomotive signale que la société qui exploite ce train envisage de reconstruire la ligne jusque Whitehorse. La voie serait ainsi prolongée de cent kilomètres...

La ruée vers l'or

L'Alaska a été acheté par le président Andrew Jackson le 30 mars 1867 au tsar de Russie pour la somme de 7,2 millions de dollars. La Russie voulait se débarrasser de ces terres sans valeur, trop éloignées et trop difficiles à exploiter. Dès 1872, de l'or est découvert aux abords de la ville de Sitka, située sur la péninsule sud-est de l'Alaska, le long du territoire canadien. Cette ruée vers l'or va attirer des aventuriers du monde entier et contribuera grandement au démarrage de l'économie de l'Etat. Aujourd'hui encore, les pancartes, les enseignes et l'architecture des constructions en bois reflètent la nostalgie de cette époque.

Un jeune garçon décortique un poisson fraîchement pêché à Seward en automne, saison où les saumons remontent les rivières pour frayer.

Durant l'été, les voitures panoramiques du train "Anchorage-Fairbanks" des Alaska Railroads permettent de profiter des paysages exceptionnels et encore vierges.

L'Europe

Au début du XIXe siècle, l'Europe est toujours un monde agricole et militaire. Les dépêches sont portées à cheval, les voyages s'effectuent dans l'inconfort des malles-poste, sur des routes cahoteuses... La lenteur des moyens de transport et leur insécurité sont perçues comme des obstacles non seulement politiques, mais aussi économiques.

Malgré tout, la production industrielle et agricole s'accroît et crée une forte demande en matière de transports. Ainsi, l'Angleterre, en avance sur les autres pays européens, s'intéresse aux projets d'inventeurs qui proposent des « railways »... Le train vit le jour au début du XIXe siècle en Angleterre. Le premier train régulier au monde fut mis en service, en Belgique, en 1835. Par la suite, une immense toile d'araignée se créa. Le chemin de fer allait dominer le transport et favoriser la révolution industrielle.

Aujourd'hui, les trains sont partout, petits, grands, rapides ou tortillards. Ils vous emmènent dans les endroits les plus reculés ou au centre des plus grandes villes.

Image du berger d'antan dans les plaines roumaines.

La Norvège

VERS LE CERCLE POLAIRE

Les Norvégiens se sont appliqués à relier les
grandes villes de leur pays en construisant
une ligne de chemin de fer qui va d'Oslo à
l'extrême nord du pays. Ils ont toutefois dû
l'interrompre à Fauske, à moins de 100 km au
nord du cercle polaire arctique. De Fauske, on
peut prendre le bateau ou le car pour rejoindre Narvik. La ligne repart de cet endroit
pour se diriger vers Kiruna, en Suède, en
longeant le Parc national d'Abisko, l'une des
plus belles réserves naturelles d'Europe.

La région au nord de Trondheim offre des paysages magnifiques
et sereins dans lesquels les rares petites maisons en bois apportent
une note de fraîcheur.

La capitale norvégienne est une ville lumineuse et ouverte. La cathédrale, l'hôtel de ville et le château royal valent certainement le voyage. Une courte traversée en ferry permet d'atteindre le musée naval sur la presqu'île située face à la ville. Là sommeillent des drakkars vieux de plus de mille ans, ainsi que les célèbres radeaux sur lesquels Thor Heyerdahl traversa les océans.

Rendez-vous à la gare centrale d'Oslo. Mon train en partance vers Dombas et Trondheim est tiré par une locomotive électrique allemande construite par la firme Thyssen Henschel. Dans la banlieue d'Oslo, un grand nombre de maisons arborent le drapeau de la Norvège. C'est parfois surprenant pour un étranger, mais les Norvégiens aiment affirmer leur identité. Bien que l'on considère souvent les Scandinaves, dans leur ensemble, comme des descendants des Vikings, les Norvégiens, les Suédois et les Danois sont des peuples très différents.

Après la traversée tranquille de petites collines agrémentées de lacs et de forêts de pins, le train arrive à Lillehammer, ville olympique d'hiver en 1994. Le contrôleur pénètre dans ma voiture et est apparemment ravi de bavarder un instant avec des étrangers. Il a toujours travaillé pour les NSB, les chemins de fer d'Etat norvégiens, et aime passionnément les trains. En fait, il est un Norvégien typique : chaleureux et sociable.

Nous atteignons le Gudbrandsdalen, la vallée le Gudbrandsdal, souvent surnommée « la vallée des vallées ».

Certains de ces immeubles en bois typiques de Trondheim abritaient autrefois des conserveries de poissons. Ils ont été reconvertis en logements et bureaux.

Cette région est d'une majestueuse beauté. Les nombreuses fermes en bois, certainement plus que centenaires, ont gardé leur aspect d'origine. Ringebu, petite ville plutôt sympathique, a même conservé une plaque tournante, car la ligne est à voie unique. La vallée s'élargit et voici qu'apparaissent les premiers sommets enneigés, un glacier...
Au nord du village de Dovre, au pied des montagnes qui donnent leur nom à la voie « Dovrebanen », se trouve l'embranchement de Dombas. Là commence la ligne de Rauma qui se dirige vers l'ouest et aboutit à Andalsnes, dans le Romsdal, certainement une des plus belles régions de la Norvège. Cette ligne est un vrai régal pour les yeux. Elle traverse la montagne et on voit le train à plusieurs niveaux différents, parfois sortant d'un tunnel, parfois traversant un viaduc.

Plus loin vers le nord, le train franchit un col et suit le Drivdalen, au sein d'un paysage de toundra, avec des bouleaux et des cabanes en bois perdues dans une végétation monotone. Je guette l'apparition de rennes, voire d'élans, ce qui est assez courant dans la région. En vain. Le train rentre en gare de Trondheim alors que le soir tombe. En été, les journées sont si longues que l'on peut encore visiter la ville même à huit heures du soir.

Trondheim est une ville d'une superbe architecture nordique qui offre beaucoup de choses à découvrir. La cathédrale Nidarosdomen, dont la construction débuta au XIe siècle, est la plus grande église médiévale de Scandinavie. C'est dans ses murs que sont traditionnellement couronnés les rois de Norvège. C'est aussi à cet

Un autorail des chemins de fer
norvégiens (NSB), de construction
allemande, se détache magnifique-
ment sur fond de fjord.

endroit que sont conservés les joyaux de la Couronne. Les vieux quartiers des quais et du marché aux poissons sont particulièrement pittoresques.

Après cette belle étape, en route pour Bodo. Le train est tracté par une locomotive Diesel du type « Nohab » caractérisée par son gros nez typique. Le convoi longe d'abord le « Trondheimsfjord » jusqu'à l'endroit où la ligne se divise de nouveau, un embranchement se dirigeant vers la Suède.

On se rapproche du cercle polaire arctique. Celui-ci est marqué à l'est de la voie par un cairn qui soutient une structure métallique sphérique. Le train emprunte maintenant de plus en plus de galeries et de tunnels creusés pour éviter que la ligne ne soit bloquée par la neige durant la longue saison hivernale.

Le train s'arrête à Fauske pour une courte pause; le prochain arrêt sera le terminus de Bodo. C'est à Fauske que la correspondance avec le « Togbus » est assurée pour rejoindre Narvik par la route. Ce trajet en bus prend cinq heures jusque Narvik et traverse deux fjords sur un bac. La route est coupée à ces endroits et il coûterait très cher, voire trop cher, de contourner la montagne.

L'arrivée à Bodo se fait dans le doux ronronnement de notre locomotive Diesel « Nohab ». Il est 19 h 30. Encore 4 h 30 à attendre avant de pouvoir admirer le soleil de minuit...

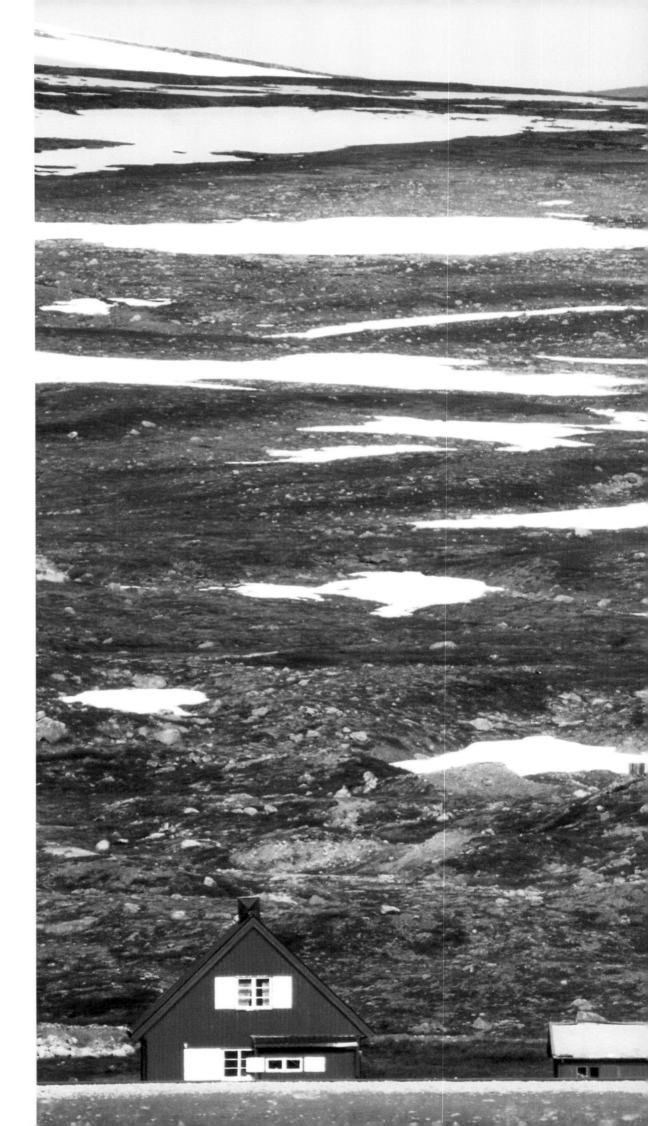

Au nord du cercle polaire, les neiges
sont éternelles et les rares habitants
de la région tirent leur unique
subsistance du tourisme estival.

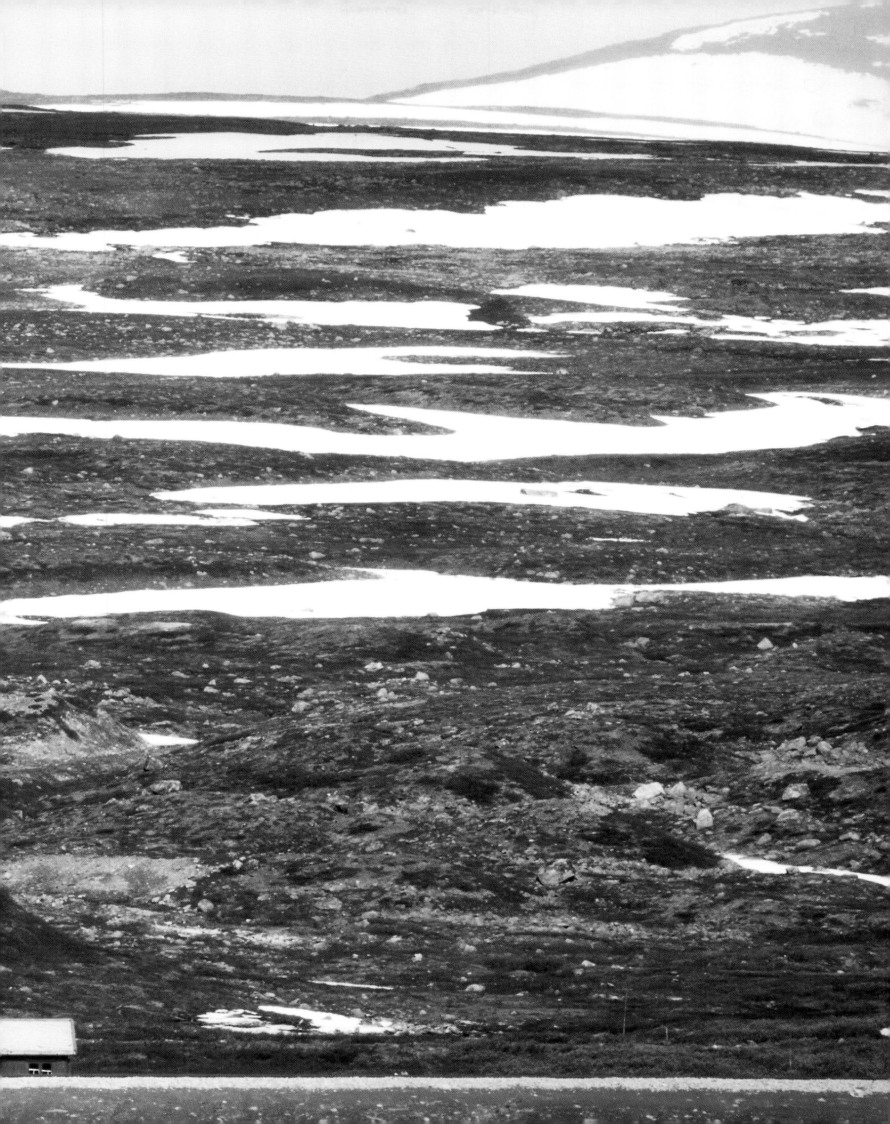

La Roumanie

VAGABONDAGE AU PAYS DE DRACULA

La Roumanie est un pays riche dans sa diversité. Chacune de ses régions véhicule une
image unique : Bucovine, Transylvanie,
Maramures, les Carpates, le delta du
Danube... Ce voyage offre la beauté des
forêts profondes, toujours refuges des loups
et des ours, la lumière et le vent. Mais la
plus belle des découvertes, c'est la chaleur
et l'originalité des Roumains.
La Roumanie possède un réseau ferroviaire
bien développé; heureusement, les « CFR »
ont conservé plusieurs locomotives à vapeur
en état de marche. Il est possible de les
utiliser pour des convois spéciaux...

La Roumanie possède encore beaucoup de passages à niveau gardés tel celui-ci, sur la ligne ferroviaire entre Arad et Timisoara.

A Oradea, ville frontalière avec la Hongrie, les Dacia, sortes de bonnes vieilles Renault 12, sont les reines de la route. Dès les premiers kilomètres, le revêtement des routes roumaines s'avère particulièrement médiocre. Beaucoup d'immeubles sont décrépis, mais la ville paraît propre.

Dès le lendemain, un train à vapeur est spécialement affrété pour moi. Une extraordinaire locomotive autrichienne de type 142 tire le convoi. Le départ est sifflé. Nous partons en direction de Cluj-Napolca, ville importante du nord de la Roumanie.

Mon itinéraire ne peut ignorer les réseaux forestiers et les petits trains miniatures qui transportent des troncs de bois dans des forêts touffues. Lorsque j'arrive à la « Holz Company », dans les faubourgs de Viseu de Sus, la locomotive, de 1954, crache déjà sa fumée. Le train effectue alors quelques manœuvres afin d'arrimer un wagon-atelier et des wagons à ridelles pour les troncs d'arbres. Nous voilà partis pour la remontée de la vallée de la Vaser. La voie est étroite et nous nous traînons à 6 km/heure, ce qui nous laisse découvrir les jolis hameaux qui jalonnent la rivière. La voie que nous laissons à main gauche longe la

Ces paysans regardent amusés un des rares trains à vapeur encore en activité au sud de la ville de Sibiu.

Dans la toute petite gare de Botizu proche de la frontière ukrainienne, ces forestiers attendent placidement le petit autorail qui doit les emmener au travail.

frontière de l'Ukraine. Elle nous permet justement de rencontrer des gardes frontière sur leur drôle d'engin : une carrosserie automobile montée sur des essieux de train ! Le train continue sa route encore quelques kilomètres jusqu'à la cabane forestière de Poïana-Novat où nous attend un barbecue géant dans un cadre idyllique...

Bucovine, terre mystique aux 20 monastères, était un carrefour majeur des cultures d'Europe orientale jusqu'à ce que Staline en change les destinées. Ces montagnes bucoliques, empreintes de mystères et d'harmonie, abritent des

minorités slaves, juives, germaniques ou arméniennes.

Après cette escale près de la frontière ukrainienne, départ en direction de Târgu-Murès, au nord de la Transylvanie. La ville porte également le nom de Marosvasarhely dans la langue hongroise, nationalité fortement représentée dans cette région. Les industries agroalimentaires, électroniques, textiles et le raffinage du pétrole constituent l'essentiel de ses activités. De son passé, Târgu-Murès garde une église gothique du XVe siècle et le palais Teleki à la très belle bibliothèque.

Nous nous dirigeons ensuite vers Sibiu, autre ville au riche passé culturel et ferroviaire. Cette colonie, à l'origine romaine, tire son nom actuel de la rivière Cibin, sur les bords de laquelle elle fut édifiée. Située au nord-ouest des Carpates et au pied des Alpes de Transylvanie, Sibiu a conservé son architecture baroque. Son centre accueille en outre une impressionnante église évangélique de style gothique et les rues alentour s'embellissent de superbes façades sculptées. Elle possède également des sources thermales renommées.

Un peu décentrée, la gare de Sibiu accueille un musée des chemins de fer que je pourrais qualifier de « vivant ». Plusieurs locomotives à vapeur y sont conservées en état de marche et me feront la surprise d'être en tête du convoi mixte. Une belle 150 allemande, construite pendant la Seconde Guerre mondiale, se charge de remorquer ce train, en direction du sud. En longeant la rivière qui marque l'ancienne frontière avec l'Empire austro-hongrois, plusieurs tunnels se suivent, l'imposante locomotive les traverse à toute fumée... Mon voyage se poursuit vers la ville importante de Timisoara. Centre industriel et quatrième ville de Roumanie, cette ville est également le symbole de la révolution de 1989. Les parcs et les jardins y sont nombreux. En ville, on peut encore observer les empreintes des peuples turc, hongrois et allemand. J'aperçois de-ci de-là des styles mélangés de néobyzantin et de moldave.

Le réseau de chemins de fer forestiers est en déclin total. Rares sont ceux encore en exploitation comme celui de Viseu de Sus qui possède encore quelques locomotives à vapeur, un vieil autorail et cette voiture transformée en auto sur rails...

Les trains de voyageurs roumains sont souvent délabrés à cause du manque d'entretien, à l'image de ce convoi local à destination de Târgu-Murès.

Dracula,
une légende?

C'est le pays de Dracula, personnage de légende, Dracula, héros du roman de Bram Stoker. Dracula, le surnom du voïvode Vlad Tepes... Où est la vérité ? Au château de Dracula à Bran, ou bien à Sighisoara, la ville d'origine de Dracula, ou peut-être dans les monts de Bargau ? Ou ailleurs ?

Tout le monde a déjà entendu parler des vampires. Dracula est sans doute le plus connu d'entre eux. Bram Stoker, un écrivain irlandais né en 1847, a immortalisé le personnage qui fut ensuite mis à toutes les sauces cinématographiques.

Dracula est un "nosferatu" (non-mort) qui se nourrit du sang de ses victimes et transforme à son tour celles-ci en vampires. Ses points faibles: un besoin régulier de sang frais qui le contraint à frayer avec les vivants, l'obligation de reposer entre l'aube et le crépuscule sur une terre consacrée, une allergie prononcée à l'ail, et surtout une vulnérabilité au soleil, aux osties et aux crucifix. Le mythe de Dracula puise son origine dans la légende de Vlad Tepes, le héros national de Transylvanie. Ce personnage a suscité, par ses sanglants exploits, une sombre légende qui n'a conservé que ses traits de caractère les plus cruels.

On en retrouve des échos atténués dans le roman de Stoker, qui fait de Dracula un être bestial, diaboliquement rusé, impitoyable, doué d'une force exceptionnelle et capable de changer de taille et d'apparence.

Comme ici, dans la gare de H. Valea Marului au sud de Sibiu, le chef
de gare a le devoir de sortir à chaque passage de train, pour vérifier
l'état de ses essieux et prévenir ainsi les déraillements.

La Russie

LE TRANSSIBÉRIEN SANS FRONTIÈRES

La Russie apparaît aujourd'hui comme un géant aux pieds d'argile. Depuis 1991, elle est indépendante, mais sa cohésion apparaît de plus en plus problématique. La Russie nouvelle est elle-même une fédération de vingt et une républiques. Aujourd'hui, les peuples de ces républiques, même s'ils ne comptent que quelques dizaines de milliers de personnes dispersées sur des étendues considérables, entendent tirer parti de leur souveraineté. Aujourd'hui, en raison de difficultés de communication, les régionalismes se manifestent de plus en plus.

Pas moins de 120 000 kilomètres de ligne de chemin de fer furent construites à la fin du XIXe siècle en Russie. La main-d'œuvre faisant alors défaut, le gouvernement dut employer des forçats et des déportés et de nombreux étrangers - Italiens, Roumains - pour son achèvement.

Le Transsibérien. Quel train ! Il est incontestablement le « train des trains ». Il résume à lui seul tout ce que la prodigieuse aventure des chemins de fer continue d'offrir à notre époque. Il a le plus long parcours au monde...

Les poupées de bois appelées matriochkas sont présentes partout en
Russie. Elles peuvent représenter de nombreux sujets, telle ici l'église
du prophète Elie à Yaroslav, à l'est de Moscou.

La cathédrale Saint-Basile, dit le
"Bienheureux", a été construite sous
le règne d'Ivan le Terrible, pour com-
mémorer la conquête de Kazan.
Pillée par les Polonais en 1611, elle
fut transformée en écurie par les
troupes napoléoniennes en 1812 et
finalement restaurée en 1969.

Il faut compter sept nuits et huit jours pour parcourir les 9300 kilomètres séparant Moscou de Vladivostok. On change sept fois de fuseau horaire... bien que les chemins de fer russes affichent en permanence l'heure de Moscou. Après avoir traversé la Russie d'Europe, il franchit les montagnes de l'Oural et parcourt les steppes de Sibérie occidentale. Il longe le fleuve Amour et la Mongolie, puis pénètre en Sibérie orientale et atteint Vladivostok. Durant la période soviétique, ce voyage était quasi impossible.

Mais la chute du Rideau de fer a permis de découvrir des régions et des villes auparavant interdites aux Occidentaux.

Moscou. J'ai décidé de visiter la ville en métro. La chose est plutôt malaisée si l'on ignore presque tout de la prononciation cyrillique, mais avec une carte de la ville et quelques gestes...

Ma journée commence naturellement par la visite du Kremlin et de la place Rouge. J'admire, sans être dérangé, quelques chefs-d'œuvre inoubliables de la cathédrale de la Dormition et du palais des Terems.

Non loin de la place Rouge se dresse l'un des monuments les plus pittoresques de la Russie, l'église Saint-Basile-le-Bienheureux. Elle donne l'impression d'être petite, mais c'est en fait une illusion due à l'enchevêtrement de ses formes. Cette sensation change rapidement dès que l'on pénètre à l'intérieur. L'édifice se compose en réalité de huit oratoires, surmontés de dômes et de spirales multicolores, ceignant une chapelle centrale. Elle fut construite entre 1555 et 1560 en commémoration des victoires du tsar Ivan le Terrible sur les Tatars. Dédiée à Basile le Bienheureux, un moine errant, elle était fermée depuis plusieurs décennies.

Le lendemain, la grande aventure commence. Je me rends à la gare Jaroslav. Cette gare est une des plus fréquentées au monde avec 3 millions de voyageurs par jour. J'ai effectivement une impression d'énorme chaos, de voir toute la Russie déambuler devant moi. Un long convoi de plus de 20 voitures vient se ranger le long de mon quai. Je découvre mon minuscule « appartement » : à peine 2 mètres sur 1,5 mètre. L'ameublement se résume à une table et deux banquettes transformables en couchettes. Les toilettes sont tout aussi spartiates. Elles se résument en fait à un simple siège en acier inoxydable avec une chasse à pédale ouvrant un clapet donnant directement... sur les voies. Je devrai me contenter d'un petit évier en guise de salle de bains.

Une jeune femme très aimable inspecte les lieux. Le responsable de voiture revient peu après avec couvertures, draps, serviettes et... une thermos d'eau chaude. Petite attention délicate : il veillera à renouveler l'eau régulièrement afin que je puisse me préparer du thé ou du café.

Le convoi s'ébranle. J'aperçois par la fenêtre notre énorme locomotive électrique « double » de construction tchèque. Sur le quai, l'assistance est importante. Certains rient, d'autres pleurent. Déjà la préposée de notre voiture ferme les fenêtres à clé. Frustrant ! Moi qui ai toujours adoré observer le départ de la fenêtre ouverte ! Elle m'explique alors que, sans cela, la climatisation ne fonctionne pas. La traversée des faubourgs de Moscou est plutôt triste et

assez rapide. Notre train roule déjà à plus de 80 km/h. J'aperçois maintenant une campagne verdoyante, parsemée de petits chalets en bois et de datchas, les résidences secondaires des Moscovites.

Après la traversée des bois apparaît la ville de Zagorsk, le berceau de l'Eglise orthodoxe russe. La superbe cathédrale arbore fièrement des bulbes bleu et or. C'est sans doute la plus belle église orthodoxe que j'aie eu l'occasion d'admirer sur le trajet. Le train continue inexorablement sa route vers l'est. Les champs défilent sans discontinuer, jalonnés çà et là de grands bosquets de pins noirs et de bouleaux. Soudain apparaît la Volga, l'un des plus importants fleuves d'Europe, long de 3600 kilomètres. Le Transsibérien franchit le fleuve mythique sur un pont de poutrelles d'acier

démesuré. Impressionnant. Nous arrivons ainsi à Joroslav, aux immeubles en bois particulièrement typiques.

Je ne conseille pas le Transsibérien pour sa haute gastronomie. J'ai pu éviter quelques mauvaises surprises grâce à un Suisse, étudiant à Moscou, qui a déchiffré la carte pour moi. Malheureusement, quel que soit le plat commandé... La soupe au doux nom de bortsch est loin d'être raffinée et comporte beaucoup trop... d'os. La bière est presque imbuvable. Le plat de résistance se compose de poulet, de pommes de terre et du fameux chou rouge au vinaigre, lequel chou rouge figurera au menu chaque jour du voyage. A s'en dégoûter.

Avant de sombrer, malgré les cahots, dans un sommeil réparateur, j'admire le lac Galich nimbé dans un superbe

Le "Transsibérien" reliant Moscou à Vladivostok parcourt plus de 9200 km en une semaine. C'est sans doute le plus long trajet en train du monde. Les arrêts dans les gares, comme celle de Omsk, offrent aux voyageurs une distraction bienvenue.

coucher de soleil. Après une nuit un peu agitée, le réveil sonne dès sept heures du matin ! Les haut-parleurs crachent une musique assourdissante ! Les airs folkloriques russes n'en finissent pas. Finalement, notre chef de voiture acceptera de stopper ce vacarme.

Aujourd'hui, le train traverse un nombre incalculable de petites gares où l'heure de Moscou est toujours affichée, et cela jusque Vladivostok. C'est parfois déconcertant. Le Transsibérien franchit maintenant la Kama pour atteindre Perm. Sur le quai, des babouchkas en longues robes et lourd fichu vendent des légumes, du pain et des conserves au vinaigre... dont il est difficile de déterminer le contenu.

Peu après le départ de Perm, mon train pénètre dans les contreforts de l'Oural, traverse maintenant un paysage de basses montagnes, recouvertes de forêts de pins et de bouleaux. De temps à autre, des scènes de la vie quotidienne s'offrent au regard. Un vieux camion soulève des nuages de poussière en dépassant deux antiques motocyclettes équipées de side-cars. Les femmes cultivent de petits potagers. Dans les villes, beaucoup d'immeubles sont délabrés, presque en ruine. Nous arrivons au fameux kilomètre 1777, frontière officielle entre l'Europe et l'Asie. Un simple obélisque en pierre la signale en plein milieu des bois. Sans m'en apercevoir, j'ai franchi les montagnes de l'Oural et le train atteint déjà Iekaterinbourg. Cette ville est historiquement importante. Le tsar Nicolas II et sa famille y furent conduits en captivité juste après la Révolution de 1917. En juillet 1918, l'un des chefs du parti bolchevik les exécuta brutalement dans une cave. Leurs corps furent

En gare de Novossi-
birsk, l'office de
tourisme local offre
aux voyageurs du
"Transsibérien" en
transit vers Vladivo-
stok des spectacles de
danses folkloriques.

ensuite brûlés et jetés dans un puits. La ville fut alors rebaptisée Sverdlovsk. Pendant la perestroïka, Boris Eltsine, à l'époque secrétaire local du parti, demanda de démolir la maison où avait eu lieu le massacre. Il érigea à sa place une croix de bois en souvenir. Comme d'autres villes de l'ex-Union soviétique, la ville a repris son nom d'origine, Iekaterinbourg.

La nuit commence à tomber lorsque le train arrive à Tioumen, la plus ancienne ville de Sibérie. De cet endroit partaient autrefois les convois de déportés en direction du Grand Nord. Le lendemain matin, au kilomètre 3000, le Transsibérien atteint Novossibirsk après avoir traversé la rivière Ob.
Au-delà de Novossibirsk s'annonce la taïga. Cette immense forêt de conifères recouvre la plus grande partie de la Sibérie au sud du cercle polaire et de la toundra arctique. Pendant des heures et des heures, le paysage ne varie plus et mes distractions se limitent aux cartes et à la conversation.

A mon réveil, le paysage est plus varié. De belles perspectives ont remplacé les forêts et les steppes infinies. Le train roule moins vite. A l'approche d'Irkoutsk, le paysage devient aussi beaucoup plus vallonné. J'atteins la rivière Angara à Cheremkhovo. Le Transsibérien longe la rivière avant de s'arrêter une minute seulement à Angarsk et de continuer sa route jusqu'à Irkoutsk.
Irkoutsk est encore surnommée aujourd'hui « le Paris de la Sibérie ». A la différence de beaucoup d'autres grandes villes russes et de leurs forêts de béton, la ville a gardé

beaucoup de charme. Le lac Baïkal est certainement l'un des plus beaux lacs au monde.

Nous filons maintenant... à vitesse modérée vers l'Extrême-Orient russe. Nous arrivons à Oulan Ude, ville importante et porte vers la Mongolie et la Chine. Cette ville est la plus bouddhiste de toute la Sibérie. L'autre train transsibérien relie deux fois par semaine Moscou à Oulan Bator et Pékin en traversant du nord au sud la Mongolie. Je considère que le « vrai » Transsibérien roule exclusivement en Russie et en Sibérie, contrairement à l'autre train également nommé « Transsibérien », mais rejoignant Moscou à Pékin.

Le lendemain, c'est-à-dire 6 jours après mon départ de Moscou, le train fait son entrée dans la grande ville de Khabarovsk. Cette dernière a été fondée en 1858 en l'honneur de l'explorateur Erofei Khabarov. Depuis, la métropole s'est développée le long du fleuve Amour séparant la Sibérie de la Chine. Khabarovsk est une ville frontière avec le mode de vie traditionnel des autochtones de l'Extrême-Orient. Ces derniers présentent la particularité d'un aspect très asiatique, entre mongol et chinois. Ils sont beaucoup plus nombreux que les Russes « blancs » venant de la Russie européenne.

Après Khabarovsk, la traction du Transsibérien devient autonome pour environ 500 km. C'est la seule section de tout le parcours qui n'est pas électrifiée. On roule moins vite, la double locomotive Diesel crache de temps à autre

De nombreuses villes, telle Novossibirsk, abritent encore de superbes
églises orthodoxes, dont l'histoire a souvent été mouvementée au
cours des siècles.

un nuage de fumée noire. Nous arrivons presque à l'heure à Vladivostok, après 8 jours de parcours, plus de 9000 km et 92 arrêts dans les gares de la ligne Magistrale.

Vladivostok a pu se développer grâce à son port de commerce. Durant la période soviétique, cette ville était interdite aux étrangers. Avec sa flotte très importante de sous-marins et de bâtiments de guerre en tout genre, elle faisait office de centre militaire d'Extrême-Orient. Depuis l'ouverture aux étrangers en 1992, la ville a bien changé grâce au commerce avec la Corée du Sud et le Japon. On l'appelle le « San Francisco de l'Orient » par sa ressemblance avec sa grande sœur de Californie. C'est une ville attirante, très propre, cosmopolite et très touristique, même si les vrais touristes sont encore rares. Le vieux funiculaire permet d'apprécier un superbe point de vue

sur le port. Une pause de quelques jours sera la bienvenue
après neuf jours dans le Transsibérien entre Moscou et
Vladivostok...

Le Transsibérien est une sorte de continent sans frontières,
dont chaque étape est un voyage à part entière.

Cette très belle locomotive de type 151 se fait bichonner par ses
mécaniciens lors d'une pause bien méritée dans une petite gare près
de Oulan Ude, à la frontière mongole.

Ce violoniste plein d'entrain offre une agréable pause musicale aux
voyageurs du Transsibérien dans la gare de Kostroma au nord de
Moscou.

Loin des parcours touristiques, ces maisons en bois sont isolées, perdues dans l'immensité de la Sibérie profonde, à plusieurs heures de train de Iekaterinbourg.

L'Asie

Depuis le désert de Gobi en Chine du Nord, en passant par la plaine du Gange et du Mékong, en regardant les champs de riz au Viêt Nam ou en Birmanie, je vous entraîne à la découverte du continent le plus fascinant au monde.

L'Asie est aussi le continent du futur. S'y rendre maintenant, c'est découvrir ses évolutions, son développement parfois trop rapide. Le continent « jaune » s'ouvre au monde, il faut donc s'ouvrir à lui.

Les voyages à bord des trains asiatiques, longs ou minuscules, dans les plaines ou les montagnes, bondés ou vides, sont toujours riches de rencontres, d'aventures, de couleurs, de senteurs. L'atmosphère y est toujours un vrai délice. Partez à la découverte de l'inconnu en sachant qu'en Asie, une voie ferrée est souvent un chemin vers la vie et l'espoir.

Sur les rives du Mékong à Phnom Penh, à la tombée du jour, ces jeunes moines bouddhistes font une pause avant de réintégrer leurs monastères respectifs.

La Chine

SUPERBES VAPEURS EN MONGOLIE INTÉRIEURE

La Chine, ce pays vaste comme un continent, est l'une des quatre grandes civilisations de l'ancien monde. Elle est riche de 5000 années d'histoire et d'une splendide culture et possède encore énormément de sites historiques. La Chine est aussi le pays du futur. Elle s'ouvre au monde. Ouvrons-nous à elle. Pour ce voyage, je vous emmène dans le nord de la Chine et de la Mongolie intérieure. Direction Baotou, Dongsheng, Jingpeng Pass, Tongliao, Shenyang... à la rencontre de ces derniers trains à vapeur assurant encore une majorité du trafic... Au contraire des villes qui ressemblent de plus en plus aux autres grandes villes du monde, les campagnes ont conservé toute leur spécificité et leur charme.

Dans la ville de Chengde au nord de Pékin, une locomotive 141 du
type JS traverse la rivière gelée sur laquelle les jeunes Chinois
s'amusent avec de vrais fauteuils sur glace...

C'est à Pékin, capitale de la République populaire de Chine, avec 12,6 millions d'habitants, que se décide le sort du pays tout entier. L'heure de Pékin est celle de tout le territoire chinois. Son nom en chinois est Beijing, ce qui signifie « Capitale du Nord ». Avec ses grandes avenues et ses hauts buildings ultramodernes, Pékin ne reflète pas la réalité des conditions de vie en Chine. La grande majorité des habitants y vit dans de bonnes conditions, ce qui n'est pas le cas dans la campagne. L'apport de capitaux étrangers, dans les années 1980-1990, a favorisé le développement de la ville par la construction de grands immeubles, d'autoroutes, de centres commerciaux.

C'est Mao qui a décidé la construction de la place Tian An Men ainsi que celle du large boulevard qui y mène. Il se servait de cet immense espace pour passer en revue ses célèbres gardes rouges. Ceux-ci, une fois regroupés, atteignaient l'effectif d'un million de personnes !

La cité interdite est nommée ainsi car, pendant cinq siècles, presque personne n'a pu y pénétrer. C'était le lieu de résidence de deux dynasties d'empereurs (les Ming et les Qing) qui ne sortaient quasiment jamais de leur enceinte. La construction des bâtiments commença au début du XVe siècle sous l'égide de l'empereur Yongle. Plus d'un million d'ouvriers - une véritable armée - ont participé aux travaux.

Un moment de tranquillité et de repos près de la fameuse place Tian An Men pour cette famille chinoise venue à Pékin en touriste.

A Pékin, Mao paraît toujours "surveiller" les visiteurs de la place Tian An Men et de la cité interdite.

La Grande Muraille est la seule construction visible par l'œil humain depuis la Lune... Cette portion située à deux heures de Pékin est très bien conservée, ce qui n'est pas toujours le cas.

De bon pied, de bonne heure, de bonne humeur, je me rends à la cité interdite. Ce complexe de monuments représente toujours une énorme importance pour les Chinois. Des cars entiers déversent les visiteurs dans cet espace encore interdit au public il y a quelques années. On y accède par la porte de la place Tianan men, en passant sous trois grandes portes (dont celle où est accroché le portrait de Mao). Tous les monuments sont des temples ou des grandes salles. La cité est immense et le risque de se perdre n'est pas à négliger. En fait, la visite n'est pas de tout repos.

L'après-midi est consacré au « Temple du ciel », dressé au beau milieu d'un parc. L'empereur pouvait prier seul pour la bonne récolte dans ce temple dont le plafond bleu représente le ciel et la voûte, un dragon. Les quatre piliers centraux rouges représentent les 4 saisons, et les 12 piliers circulaires, les mois de l'année.

La navigation en ville est plutôt difficile, car les cartes ne sont pas à l'échelle, et les rues et avenues rarement indiquées. La meute de vélos/taxis complique encore la circulation. La seule solution pour me repérer dans cette ville immense est de longer le périphérique local et de m'enfoncer dans les grandes artères. Finalement, j'ai pu observer des scènes de prière dans les temples en activité, comme le temple du Lama, contenant l'une des plus belles statues de Bouddha. A part ces quelques centres d'intérêt, peu de choses me retiennent à Pékin.

Aujourd'hui, mon programme de visite est consacré à la Grande Muraille, un des symboles les plus forts de l'histoire de Chine et seule construction visible par l'œil humain depuis la Lune. Tôt le matin, un taxi m'emmène vers Badaling, petite ville située au pied de la Grande Muraille, à une petite centaine de kilomètres de Pékin. La muraille, longue de 2700 kilomètres, barre l'horizon d'est en ouest, matérialisant une frontière entre la Chine et la steppe d'Asie centrale. Les circonstances de sa construction ont nourri de nombreux contes et légendes populaires décrivant les souffrances et les péripéties de ceux qui l'ont édifiée. Dès son origine, la muraille a eu pour fonction de protéger la frontière nord de la Chine des cavaleries nomades opérant le long de la frontière. Au fil des siècles et des dynasties d'empereurs, la Grande Muraille ne cessera de s'allonger. Quel spectacle que ce long serpent de pierre embrassant des montagnes nues et arides !

La muraille est constituée de remparts crénelés et de tours de guet. Ces tours renferment une grande salle de garde voûtée, et parfois un escalier pour accéder au toit. Elles sont munies de meurtrières et de petites fenêtres que les Chinois ont l'habitude d'appeler trous ou yeux. Seule une partie de la muraille a été restaurée.

De part et d'autre se déroule la « muraille sauvage », nettement moins praticable, mais déserte et pour moi bien plus authentique. Par endroits, la pente devient très raide et l'ascension s'avère délicate malgré les marches. Il est midi et le soleil tape dur. Tous les Chinois se reposent à l'ombre. La muraille est presque déserte et très silencieuse.

Etape suivante : Baotou. A la gare centrale de Pékin, mon train est un des plus longs : 18 voitures. Heureusement qu'une préposée m'indique ma voiture et mon compartiment et m'accompagne jusqu'à ma place réservée. Ma cabine comporte quatre lits à taille « réelle », la taille réelle chinoise étant un peu moins grande que la taille européenne. Je me trouve dans une voiture à classe molle, où les lits sont plus confortables que dans les voitures à classe dure comprenant six lits par compartiment. L'atmosphère baigne dans un mélange d'odeur de pieds et de nouilles, ce qui n'est pas des plus agréable. En fait, un Chinois, au demeurant fort sympathique, a terminé ses pâtes à la viande et se délasse en posant les pieds sur le conduit d'aération. Il faudra s'en accommoder.

Précis comme une montre suisse, le train arrive pile à l'heure à Baotou le lendemain matin. Cette grande ville n'offre pas d'intérêt et je pars directement vers le sud pour rejoindre l'extrémité du désert de Gobi. Je débarque au milieu de nulle part dans un site appelé « les sables chantants ». J'aperçois la ligne de chemin de fer vers Dongsheng, un endroit véritablement enchanteur. Peu de temps après, le premier train vapeur tracté par deux imposantes QJ du type 151 traverse le long viaduc en émettant un sifflement très aigu. Je me sens revivre. Cette ligne de chemin de fer a été construite voilà seulement six ans et la majorité des trains sont à traction vapeur... le rêve.

Après quelques jours de villégiature dans la région, je repars vers le fameux « Jingpeng Pass », situé plus ou moins au milieu de la ligne qui traverse d'ouest en est une grande partie de la Mongolie intérieure. Mon train est tracté par

une autre QJ, ces locomotives à vapeur dont la construction s'est terminée en 1988... Je voyage cette fois dans un compartiment à classe dure. A six lits et sans porte ! Les toilettes sont à la turque, mais chaque wagon comporte une salle de bains et... une bouilloire. Le train est, malgré cet inconfort, très propre.

Le paysage est peu attrayant. Relativement vide, sec et aride, il est seulement animé par des usines sorties de nulle part et de tristes et laids petits villages de brique rouge. Les rivières sont presque toutes asséchées et les rares routes, boueuses et poussiéreuses. Dans les champs, le seul outil du paysan semble être la pioche.

Je débarque du train à 4 h 30 du matin dans une gare au nom de Galatisatai où seules deux petites lumières éclairent faiblement le chemin de la sortie. Perdu dans l'obscurité, j'arrive finalement à rejoindre l'hôtel de la Poste à

deux kilomètres de la gare fantôme. Le lever de soleil sur la petite ville de Reshui me réserve un spectacle extraordinaire. Dans la montagne juste en face, un long train de marchandises grimpe lentement avec un long panache de fumée s'étirant sur au moins 500 mètres. Tout excité, je rejoins le niveau deux de la voie ferrée. Quelle vue ! J'aperçois au loin la fumée d'un autre train se dirigeant vers Reshui. A cet endroit, la ligne se compose de courbes permettant au train de gravir la montagne. Il passera ainsi deux fois devant moi. Le convoi mettra néanmoins encore une demi-heure avant de me rejoindre. Le « Jingpeng Pass » représente sans doute un des plus beaux sinon le plus beau parcours de trains à vapeur au monde. Les derniers grands trains à vapeur se font de plus en plus rares et ce périple en Mongolie intérieure en vaut réellement la peine...

En Mongolie intérieure, près de Zwongwei, deux petits tracteurs écrasés sous leur cargaison de foin font fi du danger et se dépassent, ne laissant aucune place pour les passants...

Beaucoup de Chinois d'une cinquantaine d'années portent encore le costume "Mao" traditionnel.

Dans le paysage lunaire du Jingpeng Pass, un train de marchandises emprunte un viaduc moderne. Ici, la traction vapeur est encore reine et la ligne Jining Nan – Tongliao en Mongolie intérieure, longue de près de 1000 km, est toujours exploitée par les très belles locomotives 151 du type QJ.
(page suivante)

Le Viêt-Nam

PARCOURS DE COULEURS
ET DE SENTEURS

Si le Viêt-Nam était une palette de couleurs,
elle comprendrait le jaune de son soleil et de
ses plages, le vert de ses rizières et le bleu de
la mer de Chine. Si le Viêt-Nam était une
odeur, il sentirait les épices et le poisson
séché. Si le Viêt-Nam était un bruit, ce serait
le klaxon.

Le véritable visage du Viêt-Nam demeure
souvent masqué par une industrialisation
galopante et une cupidité exacerbée par de
nombreuses années de privation communiste.
Vous sentez que l'essentiel est ailleurs, mais
vous ne savez pas toujours comment le
percevoir. Finalement, sa beauté profonde
se dévoile seulement à ceux qui savent
détourner le regard des artifices.

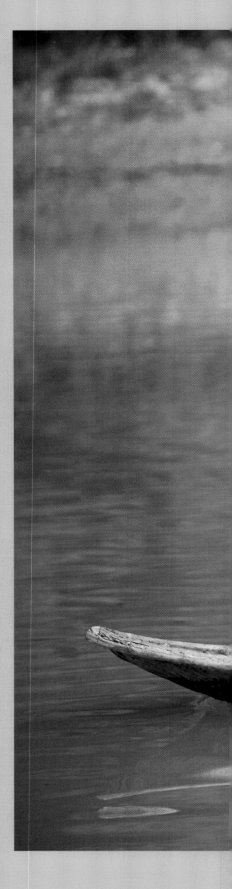

Les nombreux fleuves et rivières du Viêt-Nam sont le principal moyen
de transport de la population locale. Au nord de Hanoi, papa emmène
son petit garçon à l'école...

L e Viêt-Nam, malgré son histoire mouvementée, continue à préserver aujourd'hui son identité et sa culture. Vous sentez un discret parfum qui vous fait tourner la tête ! La magie commence à agir. Je vous emmène dans le nord du Viêt-Nam, où les dernières locomotives à vapeur françaises s'harmonisent si bien avec l'univers tropical.

J'ai voulu commencer mon voyage par Hanoi. Moins bruyante et moins étendue que sa grande sœur du sud Saigon, Hanoi offre un charme rétro. Le vieux quartier présente une densité de population incroyable et un dédale de petites rues. En ville, le trafic est dense et anarchique, et donne lieu à un surprenant spectacle, de jour comme de nuit. Les casques et les rétroviseurs n'existent pas. Les klaxons remplacent les clignotants. Les feux tricolores sont de simples « Laissez le passage ». La conduite cycliste est surprenante. En me dépassant sur la droite, une moto-taxi me rase le poil des jambes. Sur la gauche, bien involontairement, mon coude chatouille le ventre du porcelet sanglé au porte-bagages du vélo voisin. Jusqu'à trois, quatre, cinq ou six personnes peuvent trouver place sur une malheureuse mobylette ! Hanoi vous apprend également à traverser la rue en vous glissant entre les nuées de motos et de vélos. Il est d'ailleurs recommandé de ne jamais changer de trajectoire : les deux-roues peuvent ainsi vous éviter avec aisance. Si l'on est un peu las de cette agitation, rien n'empêche d'aller flâner au bord des lacs ou le long des grandes avenues.

Je pars en direction du pont Doumer construit par Eiffel il y a plus d'un siècle. Sous la structure en acier, de nombreuses femmes s'affairent sous leurs chapeaux coniques. A l'extrémité du pont, j'assiste au déchargement d'un bateau. Les hommes, pliés par le poids de leurs paniers tressés, débarquent une sorte de combustible noirâtre et visqueux. Un vrai travail de galériens !

Des écoliers visitent un des nombreux temples de Hanoi. Il n'est pas rare d'en voir des centaines occupés à visiter ensemble, méditer ou apprendre dans un lieu sacré ou historique.

Je me décide quelques jours plus tard à me lever à l'aube pour sentir la ville d'une autre façon. Je suis très impressionné par la rigueur avec laquelle les Vietnamiens font leurs exercices matinaux. Dès 5 heures du matin, tous les habitants - ou presque - se réunissent sur les rives du lac Hoan Kiem, en plein centre de Hanoi. Petits et grands, seuls ou en groupes, ils s'étirent, marchent, courent. Malgré les rides, certains font preuve d'une vitalité et d'une persévérance exemplaires et arrivent à contorsionner leur corps dans tous les sens...

Ma première sortie en train aura pour destination Haiphong, la grande ville portuaire du nord du Viêt-Nam. J'embarque dans un train tracté par une locomotive à vapeur du type 141 au design très français. Elle a, en fait,

été construite sous licence française au Viêt-Nam. Le train grouille de vie. L'atmosphère est très gaie; les Vietnamiens voyagent beaucoup en famille. Les enfants jouent, mais ne perturbent pas le monde des adultes. Le contraste avec les jeunes Occidentaux du même âge, plus égocentriques, est frappant. Ici, l'atmosphère n'est ni bruyante ni crispante. Peu de temps après le départ, un repas complet (soupe, légumes verts, riz, viande) m'est servi.

Au fil du voyage, toute une infrastructure se met en place : une grappe de fruits est suspendue au plafond, un bébé est installé dans un hamac improvisé par sa maman. A chaque arrêt, les marchands ambulants proposent leurs victuailles (poissons séchés, beignets, œufs fécondés, noix de coco rafraîchissantes...). J'ai la possibilité de m'approvisionner en nems, œufs et cuisses de poulet.

Malgré les ventilateurs, la chaleur est étouffante. Je me suis rapidement procuré les petits carrés de serviette-éponge dont tous les voyageurs se munissent pour se rafraîchir aux toilettes. Et quand le soir tombe, une employée passe distribuer des paillasses pour ceux qui voudraient dormir un peu. Le voyage est un condensé de la vie quotidienne au Viêt-Nam.

Je pars vers le nord. Un autre train à vapeur m'emporte vers la frontière chinoise. Je remarque par la fenêtre le paysage verdoyant, les collines arborées, les cultures de riz en terrasses. Plus loin, des femmes travaillent comme maçons à la construction d'un immeuble... pendant que les hommes jouent au billard ou chantent au karaoké en sirotant l'alcool de riz local. Etonnant. Perturbant même.

Le "look" très français de cette belle 141 rappelle l'histoire coloniale du pays. A mi-chemin entre Hanoi et Haiphong, le train longe, à la vitesse honorable de 40 km/h, alternativement la rivière et les rizières.

Au Viêt-Nam, tout se transporte comme on le peut. Une simple moto peut embarquer un vélo et deux cochons en même temps.

Les œufs de cent ans

Les œufs de cent ans constituent un plat populaire et recherché de la gastronomie asiatique. Ils figurent souvent dans les hors-d'œuvre. Ils vieillissent pendant deux mois ou plus dans un mélange de boue enrichi de chaux, de thé, de cendre et de bicarbonate de soude. Leur chair devient alors translucide et de couleur vert bleuté.

Les œufs de cent ans de Shanghai sont mondialement réputés. Vous les trouverez dans les magasins d'alimentation asiatique.

Le train se faufile maintenant entre collines et montagnes. La locomotive siffle constamment afin de prévenir les piétons massés le long de la voie. Les gares sont très colorées. Lors d'un arrêt, tout le monde débarque soudain du train. Un voyageur me signale avec force gestes que le train ne va pas plus loin ! Mais j'aurais voulu continuer plus vers le nord ! Impossible, me répond-on. A partir d'ici, seuls les trains de marchandises continuent vers le nord. De plus, ils sont sporadiques... Je dois me trouver un logis pour la nuit, car il n'y a pas de possibilité immédiate de retourner vers Hanoi.

J'ai l'occasion de discuter avec quelques Vietnamiens en français et je ressens davantage maintenant la puissance des mots « conformisme » et « liberté ». Au Viêt-Nam, il est difficile de s'exprimer ou d'agir différemment des autres. L'uniformisation et le conventionnalisme sont d'usage. On les retrouve partout, même dans les choses les plus anodines comme les longues tuniques de soie blanche des collégiennes. Séduit par le pays et la gentillesse des Vietnamiens, je reste plus longtemps que prévu. Je laisse à ce pays l'opportunité de me surprendre. Il a réussi...

Ce vieil homme, symbole de la sérénité et de la patience vietnamiennes, lit le journal du "parti" dans un temple de Hanoi.

Cambodge

LE TRAIN DE LA PAIX

Après de sombres années de terreur et de
guerre, les Cambodgiens semblent enfin avoir
retrouvé leur légendaire sourire. Si les mines
et les armes sont encore présentes, la vie
reprend ses droits et l'on peut, en respectant
les règles élémentaires de prudence, circuler
dans la plupart des régions du pays.
Ce pays se relève doucement et fièrement.
Il soigne ses blessures, pour enfin s'ouvrir au
monde. Les temples majestueux, d'une architecture unique et mystérieuse, parfois même
inexpliquée, s'extirpent de leur gangue de
végétation.

Le Cambodge regorge de pagodes et de temples. La région du sud-ouest de
Phnom Penh, en particulier, permet aux voyageurs du train vers
Sihanoukville de ressentir véritablement l'atmosphère de la vie monastique.

T out au long du voyage, j'ai côtoyé les splendeurs de l'art khmer, l'horreur des vestiges du génocide, mais surtout la gentillesse et l'accueil chaleureux des habitants. Plus de vingt ans après les horreurs perpétrées par les Khmers rouges sous le régime de Pol Pot, ce peuple ne peut cacher de profondes cicatrices, tant dans les mémoires que sur les corps.

Les trains sont rares au Cambodge, mais j'ai eu la surprise de découvrir une superbe locomotive à vapeur de construction française toujours en état de marche.
Dès mon arrivée à Phnom Penh, je me rends le long du fleuve en plein centre de la ville. Autour de moi se pressent de jeunes étudiants, des écoliers ou de simples mendiants curieux de

savoir d'où je viens et ce que je fais. Ils profitent des dernières heures du soleil pour se retrouver, discuter, plaisanter...
Se divertir un moment et oublier la misère de leur quotidien. Ils sont pour la plupart nés ici. Ils ne connaissent que leur pays et ne le quitteront certainement jamais. Ils rêvent pourtant d'autres espaces. Les plus chanceux émigreront peut-être en Thaïlande après avoir suivi quelques cours de langue à des prix exorbitants. Ils partiront pour trouver le repos, la plénitude et la quasi-certitude d'une nourriture quotidienne suffisante. Du moins, c'est ce qu'ils aiment à croire.
Quand ils me demandent pourquoi je suis venu visiter leur pays, je m'aperçois que rares sont ceux qui ont eu le plaisir, que dis-je, le privilège de contempler les merveilles

d'Angkor. Ils ne connaissent que les rues sales et poussiéreuses de la capitale. Ces rues sont leur milieu de vie. Ils s'assoient, mangent, vivent sur les trottoirs défoncés, dans la poussière en saison sèche, dans la boue en saison des pluies. Des enfants miséreux et attachants m'abordent à chaque coin de rue. Pieds nus ou chaussés de sandales en plastique, ils ont trouvé un petit job, juste de quoi se faire quelques sous et se remplir l'estomac pour la journée. Je me souviendrai toujours du regard de cette petite fille qui me réclamait ma canette de coca vide et son large sourire lorsqu'elle l'a mise dans son sac plastique...

D'autres font la manche, tout simplement. Ils arborent cet air triste si troublant. Parfaite mise en scène ou profond désespoir ?

Les moines bouddhistes s'adaptent très bien à toutes les circonstances de la vie, ainsi qu'en témoignent ces deux jeunes moines juchés sur une moto dans la banlieue de Phnom Penh.

Malgré un dénuement criant, les Cambodgiens sont d'une grande gentillesse et cette grande sœur prend le plus grand soin de son petit frère.

Pour de nombreux petits villages, le train reste, malgré la vétusté du
réseau, le principal moyen de transport, car les routes sont en très
mauvais état elles aussi.

Certains affirment qu'ils sont parfois achetés ou loués, puis déposés sur les trottoirs pour récolter de l'argent.

Les « propriétaires » passeraient à leur guise récupérer une partie des sommes qu'ils gagnent si difficilement. Est-ce vrai ? Difficile à dire. Ils ne mènent en tout cas pas une existence facile et doivent se battre au quotidien pour vivre, ou plutôt pour survivre. Il est révoltant de penser que ce pays regorge de richesses inestimables dont malheureusement seuls quelques privilégiés tirent profit. Chacun sait que la corruption fait rage ici, mais tout le monde conserve un sourire plein d'espoir.

Je ne pouvais ignorer la gare de Phnom Penh. Le directeur général des chemins de fer est d'une grande gentillesse. Il me reçoit avec café et biscuits et s'exprime dans un français excellent. Il me signale qu'il a étudié à Namur pendant plusieurs années ! Le monde est petit, décidément.

A la fin de notre conversation, il me fait visiter les installations ferroviaires, la gare et le dépôt comprenant aussi les ateliers de réparation. Une belle surprise m'attend : une locomotive à vapeur du type « Pacific », construite à Lille Fives, rutile dans le dépôt. « Elle roule », me dit-il. « Quand ? »

« Normalement elle ne roule que lorsque nous n'avons pas de locomotive Diesel disponible. » Il remarque mon air triste et, quelques minutes plus tard, me propose de voyager avec sa 231. Je suis incapable de lui répondre quoi que ce soit. Nous nous donnons rendez-vous le lendemain matin à 6 heures.

Le lendemain, le train mixte attend effectivement en gare avec la belle Pacific à sa tête. Cette locomotive est chauffée au bois de teck et une odeur agréable se répand dans l'air ambiant. Je monte à bord, le train siffle et s'élance doucement. Nous traversons les faubourgs de Phnom Penh. Beaucoup de petits marchands ambulants se pressent le long de la voie. Le train se faufile doucement à travers cette forêt humaine. Nous commençons à sortir de la ville et très vite mon train entre dans les rizières, dont l'uniformité est rompue de temps à autre par des palmiers. Le train roule très lentement. Il ne dépasse certainement pas les 25 km/h. Il est vrai que la voie n'est pas en très bon état. Malgré tout, je ressens un grand bonheur. Je rêvais d'un tel voyage depuis si longtemps…

Il reste 180 km avant Sihanoukville. Etant donné la vitesse du train, nous n'arriverons pas avant demain matin. Un

peu avant Takeo, le train s'arrête en face d'un temple bouddhiste. Quelques minutes plus tard, des moines viennent me saluer et me demandent une offrande. Je n'hésite pas à offrir quelques dollars pour leur gentillesse. Nous entrons en gare de Takeo, petite gare perdue où quelques rares trains se croisent. La locomotive a soif et il faut remplir le tender, cette sorte de wagon accouplé à la locomotive permettant à celle-ci d'être approvisionnée en eau et en bois, ou charbon, ou encore pétrole brut. La pression de l'eau est très faible et cela prend au moins une bonne demi-heure. Nous repartons alors que la nuit tombe déjà. C'est bien dommage : j'aurais tant voulu faire le reste du voyage de jour. Ce sera pour la prochaine fois.

Je sais que je reviendrai un jour au Cambodge. Je prendrai tout le temps de découvrir les autres parcours en train, de découvrir d'autres peuples. Oui, je reviendrai, mais cette fois, je serai armé. Armé de la ténacité et de l'énergie nécessaires pour faire avancer les choses et donner à ce peuple la chance de vivre mieux. Pourquoi s'attribuerait-on le monopole du bonheur ?

Cette locomotive chauffée au bois et construite à Fives – près de Lille – est peut-être la dernière locomotive à vapeur "Pacific" encore en service en Asie. Les 200 km de trajet séparant Phnom Penh de Sihanoukville s'effectueront en plus de 10 heures.

La sécurité des trains cambodgiens est toujours assurée par des soldats armés de kalachnikovs. Il arrive que les convois soient attaqués par des pirates qui tentent de faire dérailler le train afin d'en dévaliser les occupants.

Myanmar

LE MANDALAY EXPRESS
DE YANGON À MANDALAY

Pendant la Seconde Guerre mondiale, les
occupants japonais entreprirent de construire
une ligne partant de Singapour et traversant
la Malaisie, le sud de la Thaïlande et la
Birmanie pour atteindre la frontière de l'Inde,
mais malheureusement pour eux, ils n'y
parvinrent pas.

L'intérêt de l'ancien royaume birman réside
notamment dans les très nombreux stupas
disséminés sur les collines environnantes.
Ce pays est également un important centre
religieux bouddhiste qui compte des
centaines de monastères et de couvents.

que tous les autres passagers sont habillés de l'habituel lonji, ce fourreau d'étoffe que les hommes nouent sur le ventre et les femmes sur le côté. Lorsque mon train atteint les gares de Penwegon et Pyu, les vendeurs sur le quai et dans le train se multiplient. Ils s'acharnent à vendre toutes les formes imaginables de nourriture et de boissons, Coca-Cola, bière, jus de sorgho, chiches-kebabs, œufs...

Le paysage devient peu à peu montagneux, les champs de tournesols forment des taches de couleur jaune sur les pentes arides des collines. Les villages défilent sous mes yeux, avec, à l'arrière, le plateau Shan, culminant à presque 800 mètres d'altitude. A la fin de l'après-midi, alors que les premières lampes à kérosène sont allumées dans les wagons, nous atteignons Thazi. Le contrôleur vient s'asseoir à côté de moi et m'offre un alcool de riz. Il parle quelques mots d'anglais auxquels il ajoute du birman. Ce n'est vraiment pas évident à comprendre. Le birman est une étrange langue nasale à trois tons, apparentée au

tibétain, qui se parle pratiquement sans accentuation de syllabe. Dans tous leurs dialectes, aux prononciations parfois fort variées, les Birmans donnent souvent l'impression de s'adresser à eux-mêmes.

Le Mandalay Express pénètre bientôt dans les faubourgs de Mandalay. Il est 22 heures. Le lendemain, je visite la célèbre pagode Maha Muni, les vestiges du palais royal et le monastère Schwé Nando, avant de repartir vers d'autres contrées.

Le lac Inlay est le seul endroit du monde où les pêcheurs rament d'une jambe afin d'économiser leurs forces ou, en même temps, relever leurs filets.

L'Inde

RENCONTRES ENTRE DELHI ET DARJEELING

L'Inde mystérieuse est certainement un must pour les voyageurs en mal d'aventures. Les rencontres sont fascinantes et les sites historiques ne manquent pas.

Delhi, avant tout ville historique, a laissé à Calcutta et à Bombay la suprématie commerciale. Calcutta, la grouillante, est la plus grande ville de l'Inde. Le Cachemire et la ville de Simla offrent la fraîcheur et la sérénité. Le Gange est sacré et adoré par les hindous. De nombreux lieux saints jalonnent ses rives. Varanasi (Bénarès), Allahabad, Rishikesh et Hardwar ne sont que quelques-uns des plus célèbres. C'est une expérience inoubliable que de se mêler à la foule de pèlerins qui se pressent.

Dans l'Etat du Bihar au nord de l'Inde, la publicité pour les films de cinéma se fait par "rickshaw", grâce à un matériel fonctionnant sur batterie
d'automobile. L'Inde est le plus grand producteur de films au monde.

D ès mon atterrissage à Delhi, j'inhale cette légère
et indescriptible odeur de moisi, si typique de l'Inde. Delhi
se compose de deux villes distinctes. La vieille ville ou
vieille Delhi, avec son énergie, ses couleurs, ses bazars
grouillants et son architecture, contraste merveilleuse-
ment avec la splendeur de la nouvelle Delhi. Les magiciens
et les ours dansants divertissent la foule sur les marchés
tandis que les diseurs de bonne aventure vous prédisent
l'avenir. Je me suis acheté un « Indrail Pass » me permettant
de voyager sans aucune restriction durant trois semaines.

Mon train express pour Bénarès a comme terminus
Calcutta. Il est bondé ! Je réussis heureusement à m'entendre avec un autre passager. Pour cent roupies, il
accepte de me céder sa place.

A 9 h 30, le lendemain, nous entrons en gare de Varanasi,
le nom indien de Bénarès. Sans perdre de temps, j'embarque dans un rickshaw, direction les rives du Gange. Un vrai
spectacle m'attend. Parmi les centres de pèlerinage hin-
dou, Varanasi est le plus ancien. Les Puranas disent que

Ce couple particulièrement élégant attend dans le hall bondé de la gare de New Delhi que leur train soit annoncé. Cette gare accueille des dizaines de milliers de voyageurs par jour.

cette ville fut fondée en 1200 avant J.-C. On la surnomme « Ville qui est une prière ». L'hindouisme profond et mystique est partout. Etablie comme comptoir britannique au XVIIᵉ siècle, la ville s'est très rapidement développée et s'est dotée d'une identité propre.

Les rues étroites et tortueuses sont submergées de pèlerins et d'hommes saints. Les brahmanes, prêtres hindous, dédient des offrandes, des spectacles et des hymnes védiques aux dieux. Le tout dans l'odeur d'encens qui

imprègne les temples hindous. Dès l'aube, les pèlerins accomplissent les rituels de dévotion sur les marches qui descendent au fleuve. Les femmes vêtues de légers saris aux couleurs éclatantes se baignent. A côté jouent des groupes d'enfants aux sourires innocents et aux yeux brillants. Une promenade en barque est le moyen le plus approprié pour admirer les palais et les Ghâts. Dans les deux Ghâts de crémation, les feux funéraires brûlent vingt-quatre heures sur vingt-quatre.

Varanasi, Kashi ou Bénarès figurent parmi les plus vieilles

cités du monde et représentent le cœur spirituel de l'Inde. Pour atteindre le nirvana, il faut mourir et être incinéré ici.

Mon voyage en direction de Calcutta se poursuit à bord du même train. La gare de Howrah et le pont du même nom sont des vestiges de l'ancienne splendeur de la colonie britannique. En ville, des tramways d'un autre âge, certains à moitié démolis, craquent de partout, mais ils roulent.
Cette ville démesurée grouille jour et nuit de millions de personnes.

Je quitte rapidement la frénésie et la chaleur de Calcutta pour la fraîcheur montagneuse de Darjeeling. Si vous ne connaissez pas Darjeeling, prenez à New Jalpaiguri le petit train construit en 1881 par Franklin Prestage. Ce petit train à voie de 61 cm est surnommé le « Toy train ». Ce train-jouet est le meilleur moyen d'atteindre la vieille station Gurkha de Darjeeling. En 1829, Gurkha enchanta si bien deux officiers britanniques, Lloyd et Grant, qu'elle devint bientôt un refuge pour les boss anglais désirant fuir la chaleur de l'été.

Le train traverse à une allure tranquille les forêts verdoyantes, les rizières et les plantations de thé. Il longe la grande route et les gosses en profitent pour entrer et sortir en sautant avec une étonnante agilité. De longs arrêts vous permettent de vous dégourdir les jambes, de prendre

Pause matinale dans le petit restaurant de la gare de Darbhanga dans l'Etat du Bihar. La boisson traditionnelle est le thé et le repas se compose de petits pains de maïs.

Au coucher du soleil, près de Saharanpur, l'occupant de ce petit temple hindouiste m'ouvre les portes malgré sa surprise de découvrir un touriste dans les parages.

Les gares, comme ici celle de Saharsa, petite ville entre Calcutta et les contreforts de l'Himalaya, sont de véritables lieux de vie pour des milliers d'Indiens qui y dorment, mangent, se lavent et... prient.

Les marchés de rue sont omniprésents dans les villes comme dans les campagnes indiennes; ils fonctionnent de jour comme de nuit.

Le petit train
des Anglais

En 1829, la vieille ville de Darjeeling enchanta si bien deux officiers britanniques, Lloyd et Grant, qu'elle devint bientôt leur résidence d'été. Les Anglais construisirent une ligne de chemin de fer spécialement pour y accéder. De petites locomotives à vapeur furent d'ailleurs adaptées à cette ligne au relief accidenté. Ce voyage en train était une expérience inoubliable pour les colons anglais et l'assurance, au bout du voyage, de vivre dans un havre de fraîcheur et de sérénité. Peu à peu, de nombreuses résidences et palais victoriens surplombèrent la chaîne de l'Himalaya.

Le long des voies de chemin de fer où les locomotives à vapeur comme cette YG (141) de construction locale circulent toujours, de nombreuses femmes se pressent pour ramasser des petits morceaux de charbon parfois à moitié consumés. C'est très souvent le seul combustible leur permettant de cuisiner...

des photos et de savourer les odeurs, les paysages et les sons qui donnent à Darjeeling son ambiance si particulière. C'est absolument surprenant, mais quel plaisir de rouler à une moyenne de 10 km/h !

A Darjeeling, je découvre les sommets enneigés des monts Everest, Kanchenjunga, Kabru, Jannu et d'autres. J'en ai le souffle coupé. A mesure que la brume se dissipe, la ville s'anime. Au milieu des bruits de la préparation du thé matinal, le dialecte local gurkhali fait entendre sa tonalité chantante.

Tout près de Darjeeling, une promenade conduit les adorateurs du Soleil à Tiger Hill. L'air est frais et humide. A l'est, un soleil d'un orange délavé strie le ciel de ses traits lumineux pourpres, or, orange et roses.

Ce voyage ne serait pas complet sans la visite de Ghoom à 6 km de la ville. La colline est dominée par le célèbre monastère Yiga Choeling riche de ses quinze statues du Maitreya Bouddha. Adhérant à la secte Yellow Hat, ce monastère renferme de nombreux manuscrits anciens en langue tibétaine.

Le petit train "jouet" reliant New Jalpaiguri à Darjeeling se fraie un passage dans les rues de Kurseong, à quelque 30 km en contrebas de Darjeeling, que surplombe déjà la chaîne de l'Himalaya.

Dans la région de Darjeeling, les rencontres se font différentes du reste de l'Inde. Les traits des visages, comme celui de cette petite fille, sont plus tibétains qu'indiens.

Dans la chaîne des montagnes de l'Himalaya, la ville de Shimla, avec ses immeubles entassés les uns sur les autres à flanc de la montagne, offre un panorama exceptionnel.
(page suivante)

L'Afrique

L'Afrique noire reste un symbole de mystère et d'inconnu. Cette grande région du monde commence en fait à peine à se dévoiler. Du nord au sud, les populations, les paysages, les religions, le mode de vie sont différents. Des sables du Sahara à la forêt tropicale ou de la Corne de l'Afrique aux grandes réserves animales, vous serez emporté dans un univers dépassant l'imagination. Comment comparer un Mauritanien à un Erythréen, un Zimbabwéen ou un Mozambicain ? Impossible. Chacun possède une identité et une personnalité propres.

Embarquez dans les derniers trains à vapeur africains. Ils ne partent pas toujours à l'heure, mais ils révèlent les vrais visages de l'Afrique. Le dépaysement est assuré.

Au Zimbabwe, les petits vendeurs attendent des heures qu'un train passe. Parfois en vain...

La Mauritanie

LE TRAIN DU DÉSERT

La Mauritanie s'étire entre désert et océan, entre Afrique noire et Maghreb. Dunes de sable blanc, zones montagneuses, oasis éparpillées dans l'immensité, surprenantes étendues de sable rouge ou de pierres. L'aridité y est extrême.

Le peuple mauritanien est une véritable mosaïque ethnique. Maures, Pulaars, Soninkés ou Wolofs sont les principaux représentants d'une population à la réputation de courage et de générosité.

Un séjour en Mauritanie est réellement une expérience nouvelle au niveau du climat, de l'immensité du désert et de ses trains...

Dans l'immense désert du Sahara, les rencontres sont
rares et la vision de ce nomade et de son dromadaire a
rompu la monotonie du voyage.

Les villes sont rares. La capitale Nouakchott est la seule à se donner des airs de développement et de modernité. Nouadhibou, l'ancienne capitale coloniale française, ne vit que grâce à son port et à son unique ligne de chemin de fer. Les trains du pays servent surtout à acheminer des millions de tonnes de phosphate vers des cargos géants. Je vous emmène aussi vers Chinguetti, une ville chargée d'histoire, longtemps considérée comme la septième ville sainte de l'islam.

Le désert mauritanien n'est pas complètement recouvert de dunes. Les plateaux rocheux y occupent une large superficie. Le voyageur se retrouve dans un paysage étrange, à mi-chemin entre le désert de sable « classique » et une montagne de grosses pierres. L'homme y vit - ou plutôt y survit - dans des conditions précaires. La situation s'aggrave peu à peu et toute une civilisation est occupée à disparaître, telle celle des grands nomades chameliers du Sahara, qui fondaient leur puissance sur les échanges transsahariens.

La Mauritanie possède un riche passé où se succédèrent - voire se côtoyèrent - de nombreuses civilisations. L'homme a vécu où seuls subsistent aujourd'hui les dunes et les cailloux. Il a laissé dans la pierre et l'argile des témoignages qu'il faut sauvegarder.

Mon objectif n'est pas de rester à Nouakchott, la cité musulmane, mais bien de rallier Nouadhibou au nord du pays. Il est préférable de prendre l'avion, car seule une piste difficile et dangereuse y conduit. Les tempêtes de sable la rendent souvent invisible et tout simplement impraticable.
Il y a bien un vol aujourd'hui vers Nouadhibou avec « Air Mauritanie », mais le Fokker 28 dans lequel je dois embarquer est le dernier avion de la compagnie. Pas très rassurant, mais bon... Le vol se passe sans problème jusqu'au moment où le commandant signale que nous allons atterrir. Déjà ? Je ne vois pas d'océan, alors que Nouadhibou est bien situé sur la côte ! L'avion se pose finalement sur une piste au milieu de nulle part. Le steward annonce enfin que nous avons rallié Atar et que dans 20 minutes, nous repartirons vers Nouadhibou. En fait, l'avion était un omnibus ! La compagnie aérienne modifie la route comme elle l'entend selon le nombre de passagers se rendant à Atar, Nouadhibou, Zouérate...

Le long du parcours en train depuis Nouadhibou sur l'océan Atlantique vers Zouérate en plein désert du Sahara, les rares habitants semblent concentrer dans leurs vêtements les couleurs vives manquant à leur décor.

Jadis, Nouadhibou s'appelait Port Etienne et était une escale de l'Aéropostale. Antoine de Saint-Exupéry et ses amis se cachaient dans son vieux fortin pour se protéger des éventuelles attaques des Rezzous. Ces pillards nomades étaient présents dans tout le monde arabe depuis le Moyen-Orient jusqu'aux rives de l'Atlantique. Ils profitaient des désordres pour envahir villes et villages et opérer des razzias... Nouadhibou est maintenant un port minéralier et sert de terminus au plus long train du monde, qui mesure... 3 km ! Cinq locomotives tractent un convoi de plus de 200 wagons de minerai de fer qui se termine par un wagon de passagers. Impressionnant !

Trajet Nouadhibou-Choum. Dans ce train qui semble sans but, le passe-temps se résume à regarder le sable. Heureusement,

le deuxième plus important monolithe du monde après celui d'Alice Springs en Australie se profile à l'horizon. Quelques cabanes et quelques tentes font office de village. Il y a peu d'animation. Après l'attente d'un interminable convoi croiseur, nous repartons. L'arrivée à Choum apporte un peu de diversité et de couleurs. Cette petite ville est le centre nerveux du réseau ferré, à mi-parcours entre Nouadhibou et Zouérate, entre le port et les grandes mines à ciel ouvert.

Mon train s'arrête à nouveau pour attendre le croisement d'un autre train. Le nombre habituel de trains minéraliers, simultanément en circulation, est de trois trains vides et trois trains pleins. Les trains sont tractés par trois, parfois quatre locomotives Diesel General Motors de 3300 CV placées en tête du convoi. Le convoi minéralier affiche une charge utile de 84 tonnes et compte 210 wagons.

En attendant le train croiseur, on charge sur certains wagons de minerai des dizaines de chèvres. Un âne sera même soulevé de quatre mètres de hauteur: quel spectacle! Heureusement, à Choum, la piste se poursuit jusqu'à Atar. Je traverse la petite ville et commence réellement à goûter le pays. Chèvres, mouches et poules font partie du voyage; c'est le transport en commun à l'état pur. La conduite est sportive et ne se conçoit pas sans coups de klaxon, passages dans des ornières, brusques freinages et violents écarts ! La colonne vertébrale est mise à rude épreuve. Chinguetti est le terme de mon périple. Cette cité fantôme semble ensevelie sous les sables. Elle paraît presque irréelle. La ville antique a disparu sous les dunes, une première fois, au XIIIe siècle. A sa grande époque, elle comptait au moins vingt mille habitants, aujourd'hui, à peine 1500.

Le chemin de fer mauritanien doit son existence au transport des minerais des immenses gisements de la région de Zouérate. Les bergers du désert profitent de l'arrêt à Choum de ces trains longs de trois kilomètres pour voyager avec chèvres, ânes et marchandises.

La petite ville d'Atar se paie le luxe de posséder un téléphone public...

Les immeubles sont principalement construits de pierre et de banco local de couleur ocre. Les toitures sont réalisées à partir de troncs et de branches de palmiers. A l'époque de sa gloire, Chinguetti était l'une des sept villes saintes de l'islam et la perle de l'Adrar. Jadis, la ville désignait même le pays tout entier. Construite entre le XIIIe et le XVe siècle, elle comportait une palmeraie immense, onze mosquées et une bibliothèque connue universellement. Ses habitants y vivaient de la culture des dattes « falha » et de l'élevage de leurs troupeaux de bœufs et de moutons. Elle fut d'ailleurs un important centre du commerce caravanier entre l'Afrique du Nord et l'Afrique noire. Aujourd'hui, Chinguetti continue d'être un haut lieu historique et culturel. Sa bibliothèque conserve des manuscrits vieux de 700 ans.

Après deux journées à Chinguetti, je repars vers Nouakchott. Le chauffeur d'une Jeep est d'accord de m'emmener jusqu'à la capitale. Le trajet s'effectue d'abord à travers dunes et pistes avant d'arriver sur une route digne de ce nom. Je croise à plusieurs reprises des tentes de couleur blanche sous lesquelles vivent des familles entières, toutes générations confondues. Ces nomades, dont la majorité possèdent encore des troupeaux de chameaux, n'aiment pas trop les contacts.
La chaleur est épouvantable et je demande à mon chauffeur de s'arrêter dans une oasis encaissée entre deux hautes falaises. C'est l'oasis de Tergit. Elle recueille les sources d'eau tiède qui proviennent du plateau rocheux tout proche et produit une eau désaltérante et cristalline. Un plaisir tout particulièrement apprécié dans ces contrées.

L'ambiance à Chinguetti est paisible. Un âne broute dans le sable, un menuisier s'affaire à réparer la porte et les fenêtres du restaurant local. Au menu, chameau et chèvres principalement.

Chinguetti est une des sept villes saintes de l'islam, mais peu de pèlerins y parviennent. La piste défoncée qui permet d'y accéder les découragent sans doute.

Le Zimbabwe

DE BULAWAYO VERS
LES CHUTES VICTORIA

Le Zimbabwe connaît des remous politiques,
ce qui ne facilite pas les voyages. Le pays est
enclavé et entouré par la Zambie au sud, le
Mozambique à l'est, l'Afrique du Sud et le
Botswana à l'ouest. Il est constitué en grande
partie de plateaux culminant entre 900 et
1700 m d'altitude.

Les amateurs d'aventures, de grands espaces,
de safaris... et de trains à vapeur seront
servis. Le Zimbabwe offre également un site
exceptionnel : les chutes Victoria. A cet
endroit, le puissant fleuve Zambèze, large de
plus de 1,5 km, tombe d'une paroi haute de
108 mètres et projette dans les airs une
immense gerbe d'eau et de vapeur. A vous
couper le souffle. Littéralement.

Dans la brousse, entre Bulawayo et Plumtree en direction du
Botswana, au passage à niveau, une bande d'enfants devisent
gaiement... et se paient sans doute gentiment ma tête.

Au marché de Bulawayo, tout le
monde vend son bric-à-brac avec
bonne humeur.

La voie ferrée de l'ouest du Zimbabwe évoque les grands voyages d'exploration du centre de l'Afrique du XIXe siècle. Elle traverse quelques-unes des régions les plus giboyeuses du continent et se termine à proximité des chutes du Zambèze à Victoria Falls. Elle fut construite à la fin du XIXe siècle par Cecil John Rhodes, qui donna son nom à la Rhodésie en 1895.

Le Zimbabwe dispose d'importantes réserves de charbon et c'est logiquement le pays d'Afrique où la traction à vapeur est demeurée la plus présente. Certaines de ses lignes sont électrifiées, et le parc de locomotives Diesel s'est développé. Depuis quelques années pourtant, les vieilles locomotives à vapeur reprennent du service, car les diesels se révèlent beaucoup trop onéreuses. Je suis impatient de voir circuler les locomotives à vapeur géantes « Garrat », comme les splendides 232 + 232 de la classe 15, rachetées à d'autres pays africains. Ces dernières ont la particularité d'être articulées, une cabine centrale reliant deux locomotives.

Point de départ de ce périple : Bulawayo, la deuxième ville du Zimbabwe. Bulawayo joue encore de nos jours le rôle de plaque tournante ferroviaire. Située au carrefour des routes du sud et du nord, elle porte encore de nombreuses traces de la pesante présence britannique. Le sinistre palais de justice dressé au centre de la ville et les vastes résidences coloniales des quartiers autrefois réservés aux Blancs en font foi.

A la très belle gare de Bulawayo, un seul train de voyageurs attend le signal de départ pour Victoria Falls. Pour les Zimbabwéens, le train n'est pas seulement un moyen de transport. C'est surtout l'indispensable cordon ombilical reliant les citadins à leurs familles demeurées « au village ». Les chemins de fer jouent vraiment un rôle social et économique essentiel à la survie du pays.

Il est presque 19 h 30, la nuit commence à tomber et le train devait partir à... 19 heures ! Le chef de gare, vêtu d'un uniforme bleu sombre et d'une chemise blanche immaculée, organise la répartition des places assises à partir du quai.

Les classes sont très différentes et nettement séparées. Les première et deuxième classes comportent des compartiments avec couchettes. La troisième est destinée aux voyageurs sans ressources. Serrés comme des sardines et encombrés de paniers ficelés à la hâte, de cartons, de malles et de volailles, ils doivent passer la nuit sur des bancs de bois, dans une position extrêmement inconfortable.

La capacité d'accueil des compartiments est différente en première et en deuxième classe. Quatre personnes pour la première classe, six personnes pour la deuxième. En première classe, les banquettes capitonnées peuvent être converties en couchettes relativement confortables. Les fenêtres s'ornent de rideaux et les portes sont munies de serrures. Un coin toilette avec miroir, lavabo, eau chaude et froide dessert le compartiment. Pas de quoi se plaindre.

Un coup de sifflet déchire le silence de la nuit, et la locomotive commence à tirer poussivement son lourd chargement. Le train prend péniblement de la vitesse et serpente ensuite dans Mpopoma. Les masures de tôle bordant la voie, les cheminées fumantes et les lumières tamisées semblent lui indiquer le chemin à prendre pour sortir de la ville.

Peu après le départ, le steward prépare les lits pour la nuit. Avec une étonnante rapidité, il abaisse les lits dissimulés dans les placards supérieurs, installe les draps et les oreillers, puis relève les dossiers des banquettes et les fixe aux parois. De longs arrêts inexplicables, parfois au milieu de nulle part, ralentissent beaucoup la progression du train. Il traverse maintenant les terres arides du Matabeleland. Dans

Les rares voyageurs en attente dans la coquette petite gare de Figtree à l'ouest de Bulawayo ne s'impatientent jamais. On verra bien quand le train arrivera...

cette région peu peuplée de l'ouest du Zimbabwe, les fermiers africains tirent leur subsistance de l'élevage de petits troupeaux de bovins ou de chèvres. Les petites gares et les bifurcations portent des noms anglais aussi bien que matabélés : Morgans, Igusi, Sawmills, ou bien encore Nyamandhlovu, qui signifie « viande d'éléphant ».

Au fur et à mesure que l'on approche du Parc national de Hwange, les noms des gares jalonnant la ligne désignent des animaux sauvages en langue matabélé, tels que Ingwe (léopard), Isilwana (lion), Impofu (éland) ou Intudhla (girafe). Pour les passionnés de vapeur, la section de Gwaai à Dete présente un grand intérêt historique. Avec 112 kilomètres sans une seule courbe, elle fut, à l'époque de sa construction, la voie rectiligne la plus longue du monde. Elle marque également la limite nord-ouest du Parc national de Hwange (ex-Wankie), la plus grande réserve d'animaux du pays. Toute la région de Hwange est en réalité une immense mosaïque de concessions de chasse, de ranchs privés et de terrains de safari, sur laquelle vivent en liberté d'innombrables animaux sauvages.

Entre Dete et Hwange, la ligne serpente dans ce qui pourrait être la « vallée de la mort » décrite par David Livingstone : une contrée insalubre de roches déchiquetées, recouverte d'une épaisse brousse. Hwange est une ville peu attrayante. Les constructeurs du chemin de fer décidèrent d'y faire passer la ligne à cause de ses mines de charbon.
Le lever du jour entre Deka et Matetsi offre un spectacle

tout différent. La contrée désertique du Matabeleland cède la place à la savane et aux forêts de tecks. La faune est abondante, mais il faut avoir l'œil vif, car les animaux peuvent se manifester au moment le plus inattendu. J'eus ainsi l'occasion d'observer les bonds aériens d'une antilope noire, puis d'être à mon tour observé par un groupe de lions paisiblement installés à moins de 15 mètres de la voie.

Victoria Falls, le terminus du voyage. L'entrée monumentale de la gare débouche sur l'hôtel le plus élégant du Zimbabwe. Une enfilade de halls et de jardins conduit à la forêt tropi-cale baignée d'eau, créée par les chutes Victoria.

Deux fois plus hautes que les célèbres chutes du Niagara, les cataractes zimbabwéennes sont en outre beaucoup plus larges. En effet, leur rideau de cascades s'étend sur plus de 1700 m. Leur débit extrêmement puissant peut atteindre, à la fin de la saison des pluies, 545 millions de litres d'eau à la minute. Le fracas qu'elles produisent en s'engouffrant dans les gorges s'entend à plusieurs kilo-mètres à la ronde... On comprend l'étonnement et la fasci-nation de Livingstone lorsqu'en 1855, au cours d'une de ses expéditions en Afrique australe et centrale, il découvrit

ce miracle de la nature. Subjugué par tant de majesté et de splendeur, il donna aux chutes le nom de sa reine : Victoria. Lorsqu'il fit construire la voie de chemin de fer au-dessus des chutes, Cecil Rhodes voulait que les voyageurs puissent sentir l'écume de l'eau sur leur peau. En dépit des multiples difficultés techniques rencontrées, l'élégant pont d'acier au-dessus des eaux tourbillonnantes fut achevé en 1905. Rhodes ne put jamais l'emprunter. Il mourut au Cap en 1902. Son corps, conformément à ses dernières volontés, fut conduit en train jusqu'à Bulawayo pour être enterré dans les monts Matopo.

Le train vapeur tracté par l'énorme locomotive de type "Garrat" articulée ne rencontre aucune difficulté à franchir le viaduc traversant le fleuve Zambèze et ses célèbres chutes Victoria.

Le Mozambique

BEM VINDO

Le Mozambique s'ouvre à nouveau au monde
après plus de 30 ans de guerres.
Les villes sont un mélange de vieux bâtiments coloniaux aux peintures défraîchies, de
poussière de sable, de détritus et de rencontres aux coins des bars. On y boit des bières
locales et on discute, le plus souvent d'amour
ou d'argent. Vous ne rencontrerez pas de ces
colons comme en Afrique de l'Ouest : ils ont
déserté la place, découragés par la guerre.
Les plages d'un sable clair qui varie de l'or au
blanc sont bordées de cocotiers. Ici et là, des
lagons calmes vous accueillent pour un bain.
On s'y rend le matin pour se rafraîchir de la
moiteur nocturne. Le reste du jour, on
paresse à l'ombre en jouissant de la brise
marine.

L'aspect décati des voitures et la lenteur du train (15 km/h) ne semblent pas altérer la bonne humeur de ces petits Mozambicains.

Une route unique relie le nord au sud. Longeant souvent la mer, elle s'enfonce pourtant parfois dans les terres. Elle ressemble à une brèche minuscule en plein cœur d'une palmeraie ou de la brousse. Des petites baraques semées de-ci de-là proposent noix de coco, ananas, mangues, bois ou charbon, c'est selon. D'autres font office de bars-épiceries. Les habitants attendent que les pêcheurs rentrent de la mer pour faire leur marché.

Les villages possèdent encore quelques rares maisons coloniales. Les voyageurs s'entassent pour quelques sous dans les chapas, ces taxis de brousse sans toit.

Les trains sont rares. La majorité d'entre eux sont en traction Diesel, mais par-ci par-là, il est encore possible de rencontrer un véritable cheval de fer à vapeur.

En 1498, Vasco de Gama débarque sur le site de la future Lourenço Marques. Les Portugais prirent Sofala en 1525, mais ils ne contrôlèrent jamais vraiment le pays. Les fiefs qu'ils concédèrent au XVIIe siècle dans la vallée du Zambèze devinrent des royaumes esclavagistes. Venus du sud dans la première moitié du XIXe siècle, les groupes ngonis renforcèrent la puissance militaire de ces chefferies.

En 1878, le Portugal n'administrait en fait qu'une centaine de milliers d'habitants disséminés le long de la côte. C'était trop peu pour faire valoir des droits historiques sur un empire joignant l'Atlantique à l'océan Indien.

La capitale du Mozambique, anciennement Lourenço Marques, aujourd'hui Maputo, compte une agglomération

L'élégante petite locomotive "Baldwin" de construction américaine de type 140 se repose en gare de Xai Xai de son parcours de quelques dizaines de kilomètres.

Le Mozambique est un pays où toutes les religions se côtoient. L'imam de cette mosquée au centre de Maputo accueille tous les visiteurs de passage, musulmans ou pas.

de 1,3 million d'habitants. La ville regroupe de nombreuses industries (cimenterie, agroalimentaire, tabac). Elle est également dotée d'une université et d'un musée.

Les avenues de Maputo sont larges et on recherche vainement le « centre-ville ». La vie se passe hors les murs, notamment autour du marché de Xipamanine où tout peut s'acheter. Beaucoup de constructions neuves présentent une architecture recherchée, variée et colorée. L'atmosphère latine est perceptible, en plein milieu de l'Afrique noire. Dans les quartiers populaires, le dimanche est l'occasion de sortir endimanché et d'entonner les chants de culte.

Je n'ai d'autre choix que de louer une voiture pour me rendre à la petite ville de Xai Xai, située à quelque 180 km au

nord de Maputo. Je connaissais l'existence d'un réseau à voie étroite de 75 cm au départ de Xai Xai, dont toutes les locomotives sont à vapeur. Cela m'avait toujours beaucoup intrigué. La propreté de cette jolie petite ville est étonnante. Les immeubles, dont certains ressemblent à ceux de petites villes portugaises, sont bien entretenus et peints de couleurs éclatantes. La gare elle-même est complètement restaurée et brille d'un vert clair. A l'intérieur, j'y rencontre le chef de gare. D'une grande politesse, il me dit que plus aucun train ne circule pour l'instant. Des pluies diluviennes ont complètement ravagé le réseau. A certains endroits, les voies ont même été emportées. Anciennement, le réseau comprenait une ligne commune entre Xai Xai et Manjacaze (53 km) qui se subdivisait en deux branches, l'une vers

Chicomo (37 km) et l'autre vers Mauela (50 km).

J'ai l'impression de me trouver en Europe, dans une petite gare de province où le temps se serait arrêté depuis plus de 50 ans. Le personnel est resté en place. Certains réparent les locomotives à vapeur dans les ateliers, d'autres s'occupent de tâches administratives. Tout cela est surprenant si l'on sait que les trains ne circulent plus depuis des années.

Le chef de gare m'accompagne au dépôt et aux ateliers de réparation tout proches. Mon regard se pose directement sur une splendide « Baldwin » type 140 construite en 1925, aux Etats-Unis. Elle est en état impeccable et le « chef » me signale qu'elle est en état de rouler. Sans doute impressionné par la vue d'un Européen s'intéressant à ses locomotives, il me propose de revenir le lendemain. Il aura préparé une surprise. Je nourris les plus vifs espoirs...

Il est à peine sept heures du matin et me voici de retour à la gare. J'entends le sifflet léger de la locomotive; elle arrive ! Les manœuvres commencent et un petit train mixte se forme. De plus en plus d'habitants se regroupent pour assister à l'événement. Les enfants grimpent dans ces deux voitures laissées à l'abandon depuis de nombreuses années. Malheureusement, « mon » train spécial ne pourra effectuer que quelques kilomètres. Soudain, les rails restent suspendus en l'air, ils « flottent » sans aucun ballast au-dessous. Quel dommage ! Malheureusement, les travaux de reconstruction du réseau ne seraient pas rentables. La seule possibilité pourrait être la reconversion d'une partie du réseau en ligne touristique...

Cette expérience inoubliable m'a mis en appétit. Je continue mon chemin jusque Inhambane. Ancien comptoir portugais sur la route des Indes, cette ville a conservé beaucoup de charme. Je me retrouve dans un décor colonial inchangé depuis plus de 100 ans. Les petits bateaux sillonnent la baie

dans un va-et-vient incessant. Ils transportent de tout et leurs couleurs se détachent sur le bleu de l'océan Indien.

A la gare, l'animation est réduite, les rails sont rouillés. La seule locomotive en gare est en fait un monument... construit en Belgique. Au dépôt, d'autres locomotives à vapeur sont cette fois bien sur les rails, mais quelle désolation ! Tout a l'air figé depuis des années. Seule une locomotive de construction américaine, une « Porter » n° 572, construite en 1941, me semble complète. La voie est du type « Cape Gauge », un peu plus large qu'un mètre.

Après deux jours de négociations et d'attente, cette locomotive va reprendre du service ! La voilà repeinte, chargée de bois d'eucalyptus, et qui commence à fumer. Une délicieuse odeur m'envahit les narines. Ça y est, elle roule ! C'est bien la première fois qu'une locomotive dans un tel état reprend vie. J'en suis comblé. J'ai l'impression de lui avoir donné une nouvelle naissance... malgré sa mort annoncée.

Dans la petite ville de Xai Xai, le marché ne propose que du maïs, denrée qui compose la plus grande partie de l'alimentation locale.

Le long de la route nationale Sud–Nord près d'Inhambane, un concert s'est improvisé.
(page suivante)

L'Erythrée

LE PAYS OUBLIÉ

L'Erythrée, pays parmi les plus pauvres de la planète, a vécu une aventure ferroviaire incroyable. A la fin du XIXe siècle, les Erythréens construisirent une voie ferrée à l'écartement de 950 mm depuis le port de Massawa jusque Ghinda et Asmara. La décision de prolonger la ligne vers le Soudan suivit et les travaux furent terminés en 1922. Les choses se passèrent très bien jusqu'en 1962, date de l'invasion de l'Erythrée par l'Ethiopie. Le réseau fut complètement détruit et l'Ethiopie annexa l'Erythrée comme sa province du nord. Cette « province » était très importante pour Addis-Abeba, car elle assurait un accès à la mer sans devoir transiter par Djibouti. En 1991, l'indépendance de l'Erythrée fut déclarée, mais la guerre ne s'acheva jamais vraiment...

Le 1er décembre, une grande fête religieuse regroupe des milliers de chrétiens dans la capitale érythréenne. Ce jour est très important pour la communauté religieuse, car il permet de récolter des fonds.

Les Erythréens décidèrent de reconstruire le réseau ferroviaire. Grâce aux vétérans, aux volontaires, aux milliers de pièces récupérées ici et là et aux rails retrouvés dans la montagne, ils purent, en 1998, rendre la première partie de la ligne Massawa - Ghinda opérationnelle.

La capitale Asmara a des relents de ville de province italienne. L'atmosphère y est douce et les températures agréables inciteraient pour un peu au farniente. L'atmosphère de la ville, située à 2400 mètres d'altitude, est bien éloignée de la fournaise des basses terres du littoral.

Tout est calme, propre et ordonné. L'éclairage public fonctionne du crépuscule à l'aube. Il ne manque pas une ampoule aux lampadaires. Asmara peut même s'enorgueillir de deux pharmacies ouvertes, eh oui ! vingt-quatre heures sur vingt-quatre. Les quartiers résidentiels qui jouxtent le centre-ville sont bien entretenus. Maisons et villas ont vieilli, mais ceux qui les ont construites seraient heureux de les voir aujourd'hui. Certaines sont de véritables petits palais.

L'avenue de l'Indépendance est bordée de grands palmiers aux formes parfaites. C'est dans cet environnement chic

Dans l'enceinte de la cathédrale d'Asmara, les religieuses vêtues de leurs robes blanches se prosternent au passage d'un prélat.

Petit réglage pour cette locomotive à vapeur Breda, construite en Italie. Le machiniste est plus vieux que la locomotive et a connu l'époque coloniale italienne.

que se situe le ministère de l'Education nationale. Ancien siège du parti fasciste italien, sa silhouette massive semble surveiller la terrasse du bar « American », un lieu de rendez-vous apprécié de la jeunesse et des rares étrangers présents en Erythrée.

Des petits groupes d'enfants désœuvrés traînent devant la cathédrale d'Asmara, un bâtiment massif en brique sombre, dont le clocher dépasse les cinquante mètres. Quelques vieilles femmes tendent discrètement la main dans le périmètre de charité de cette église construite en 1923.

Plus loin, les passants freinent le pas et observent les affiches de l'Impero, un cinéma construit dans les années trente. Avec son impressionnante façade pourpre, il évoque la ville de San Remo. L'un des projecteurs serait aussi vieux que l'Impero lui-même. Les Italiens ont imposé à l'Erythrée leur goût du cinéma et Asmara a compté jusqu'à neuf salles en activité. L'Odeon, le Roma et le Capitol égaient toujours la ville de leur architecture coloniale italienne.

A certains endroits, l'histoire semble s'être carrément arrêtée. Dans les échoppes du barbier trônent de vieux

fauteuils basculants. Le barbier, en courte blouse blanche, rectifie le fil de son rasoir sur une lanière de cuir et travaille à l'ancienne, à grands coups de blaireau et larges rasades d'eau de toilette. Dans les cafés, l'expresso est servi comme dans le sud de l'Italie par des garçons en pantalon et gilet noirs. Rien n'a changé depuis les années vingt. Des bus italiens relient Asmara et ses « banlieues ».

Quelques voitures à cheval disputent aussi le bitume à la flotte de taxis jaunes. Les Fiat 600 s'enrhument dans les côtes en toussant de grosses volutes de gaz d'échappement. L'Erythrée a même conservé le goût des rencontres de football et les saveurs de la cuisine italienne.
A la gare, il y a bien des voies, un bâtiment, un dépôt et des locomotives. Malheureusement, rien ne fonctionne, les

quelques ouvriers présents me disent qu'il faut se rendre à Ghinda ou Massawa pour y voir des trains rouler.

Dans le taxi pour Ghinda, je découvre un décor absolument majestueux. A cause de l'altitude d'Asmara, la route donne l'impression de planer au-dessus des nuages de la vallée. Elle n'en finit pas de descendre avec plus de 600 courbes

Pendant le voyage entre Ghinda et Massawa, l'antique autorail du temps de la présence italienne dépasse un paysan et ses deux chameaux placides servant au transport de marchandises et de colis.

et contre-courbes. J'aperçois enfin la ligne ferroviaire, mais il n'y a pas de rails. A Ghinda, enfin, les « trains » roulent. En fait, un étrange camion russe sur rails fait à la fois office de train de voyageurs et de marchandises. Je remarque plusieurs locomotives à vapeur italiennes « Ansaldo » et « Breda »... De nouveau l'Italie.

Il est malheureusement très difficile de passer la nuit à Ghinda et je me décide à rejoindre Massawa, la ville portuaire. Un hôtel plutôt sympathique en bordure de mer fera très bien l'affaire. Mais quelle chaleur ! Le thermomètre affiche au moins quarante-cinq degrés !

Le jour J est enfin arrivé. Le train mixte est remorqué par une superbe « Mallet », une locomotive articulée très rare aujourd'hui. En 1875, le Français Anatole Mallet inventa une locomotive sur le principe de la machine à vapeur à double expansion (c'est-à-dire à cylindres couplés).

La gare est située sur l'île de Taulud, et un quai assure la jonction vers la terre ferme. Le train traverse une partie de la ville où les dégâts du conflit avec l'Ethiopie sont encore bien visibles. Beaucoup d'immeubles sont « troués » de part en part par les balles des kalachnikovs. Certains ont été bombardés... Impression de guerre silencieuse.

La ville de Massawa s'éloigne et le désert pointe déjà. Une trentaine de kilomètres plus loin, j'arrive à Mai Atal. La ligne commence à grimper doucement jusque Damas, un tranquille petit village. Le train dérange les dromadaires paresseusement installés sur les rails. Le paysage change, la montagne devient plus présente, les courbes n'en finissent pas. La vue est délicieuse.

La petite « Mallet » s'efforce de gravir des côtes qui n'en finissent pas, traverse tunnels et ponts, longe les rivières. Les rencontres sont rares, mais elles apportent toujours couleurs et sérénité. Durant tout mon séjour, je n'ai rencontré aucun autre touriste. J'avais vraiment l'impression de revivre le temps des... grandes découvertes.

L'Erythrée est encore un pays très fermé et peu de touristes le visitent. Les habitants des campagnes ont gardé leurs anciennes traditions, comme le montre cette femme rencontrée dans le village de Damas.

Colophon

General Manager: Ivan Cols
Strategic Development Manager: Gert Mahieu
Senior Editor: Michelle Poskin
Concept graphique: Flink studio
Pre-Press: Image de Marc

Printed in E.U.
Copyright 2002 by Artis, Brussels
Tous droits réservés
D/2002/0832/109
ISBN 2-87391-382-7

Toutes les photos sont de Thierry Nicolas